Dear Comrade

Dear Comrade:

PAVEL LITVINOV AND THE VOICES OF SOVIET CITIZENS IN DISSENT

Edited and Annotated by
KAREL VAN HET REVE
University of Leyden

PITMAN PUBLISHING CORPORATION

NEW YORK   LONDON   TORONTO   TEL AVIV

Originally published in The Netherlands by
D. Reidel Publishing Company, Dordrecht,
under the title
Letters and Telegrams to Pavel Litvinov
December 1967—May 1968

Manufactured in the United States of America
Library of Congress Catalog Number: 71-79049
First Printing February 1969

1 . 9 8 7 6 5 4 3 2 1

INTRODUCTION

Readers not familiar with the circumstances and the atmosphere under which the documents published in this volume were written might benefit from the following short résumé.

In the 1960's the Soviet regime's interior policy has pursued two main objectives: first, that in public nothing be said, insinuated, shown, sung, performed, acted or printed, broadcast or shown on television, that had not been previously approved of by the authorities; and, second, that all be quiet: no arrests, no noisy propaganda campaigns, no alarms, no demonstrations, no terror, no big changes, no stalinism, no denunciation of stalinism.

To a certain degree these two aims are compatible. The Soviet Union in the sixties resembles a city where a curfew is in force and where everything is extremely quiet after 8 P.M. But the curfew, much as it ensures order and quietness, is in itself apt to arouse dissatisfaction, irritation, restiveness.

This situation is complicated by the fact – if the reader will allow me to push the simile still further – that officially no curfew exists. People found, as it were, on the streets at night are arrested and tried for disorderly conduct, assault and battery, resisting an officer of the law, streetwalking, vagrancy, and the like, but *not* for being on the street after curfew. This causes a certain amount of embarrassment to the authorities.

They would rather not say squarely that they do not want anyone on the streets after 8 P.M. They do not like to make an arrest. Sometimes they look the other way. But they would not for a moment even consider the possibility of granting their citizens freedom to walk about the streets whenever they want.

In the days of Lenin and Stalin no such problem existed. Anybody found on the streets after 8 P.M. was shot dead immediately, and every other night in every other street a number of citizens were hauled out of their houses and shot, after having confessed to murder, arson, armed robbery, high treason, rape and espionage. It is the memory of the years 1917–1953 that keeps people off the street in 1968. It is the feeling that those years are over which every once in awhile drives a solitary walker or a group of *akademiki* out into the open after 8 P.M.

Any time this happens the Soviet authorities are in trouble. Any time – and now we abandon the simile – somebody slips something through the censorship, has something published abroad which could not be printed at home, or circulates an 'open letter' to some Soviet newspaper or functionary, government aim number one is impaired. Any government reaction to this, however, is an impairment of aim number two: the quiet is disrupted, an arrest has been made, a trial must be held, other kinds of unrest may be expected, and the existence of a political opposition stands revealed.

If by opposition one means a more or less organized

body of people who are in some way or other opposed to the policy of their government and who make propaganda for their own opinions through meetings, newspapers, radio, television, etc., then one cannot speak of the existence of a political opposition in the USSR. If, however, one means by opposition a very loose group of people who are in some way or other known to be opposed to their government, and who sometimes know of each other's existence, and some of whom sometimes manage to ventilate some of their opinions – then one can say that there is a political opposition in the Soviet Union. As in other communist countries, some of its main protagonists are writers or people in some way connected with literature.

In the years 1959–1964 two Russian writers, Julij Markovič Daniel' and Andrej Donatovič Sinjavskij, published in Paris, London and Washington, an essay and a number of stories that had not passed through Soviet censorship. Daniel' used the pen name of Nikolaj Aržak, Sinjavskij that of Abram Terc. Their work attracted attention in the Western world[1] and – by word of mouth and via copies smuggled into the country – in the Soviet Union.

The authors were arrested in September 1965. News

[1] A bibliography of the works of Daniel' and Sinjavskij published abroad in Russian and English can be found on pp. 382–384 of *On trial. The case of Sinyavsky (Tertz) and Daniel (Arzhak).* Documents edited by Leopold Labedz and Max Hayward. London, Collins and Harvell Press, 1967.

about it reached the West, but no official confirmation could be obtained until, in November 1965, Aleksej Surkov admitted the fact at a press conference in Paris. The Soviet press was silent until 13 January 1966, when the government newspaper *Izvestija* carried an attack on the two prisoners by Dmitrij Eremin. On 22 January the *Literaturnaja gazeta* followed with an article by Zoja Kedrina. Before these two articles were published about one hundred people, mostly students, held a demonstration on Puškin Square in Moscow on 5 December 1965, demanding that Sinjavskij and Daniel' be given an open trial. A Moscow student and worker at the State Museum of Literature, Alexander Ginzburg (born 1936), sent a letter to Kosygin about the forthcoming trial. So did the wives of the prisoners.

The trial of Daniel' and Sinjavskij was held in Moscow on 10, 11, 12 and 14 February 1966. The Soviet authorities are an excellent example of what Julien Benda has so aptly called *barbares honteux de leur barbarie*. They did not want the proceedings to become known. Yet they dared not hold the trial *in camera*. So the trial was officially declared open, but held before a hand-picked audience of about seventy people. Foreign correspondents were not allowed into the courtroom. The court proceedings were not published by the Soviet authorities, and no Western lawyer or writer or journalist has yet been given access to them. Nevertheless, not all the people present at the trial were on the side of the government. Alexander Ginz-

burg managed to get access to what some people had written down in the courtroom. Using these and other documents he compiled a *White Book on the Case of Sinjavskij and Daniel'*, which contained as much of the court proceedings as could be established from notes taken during the trial by person or persons unknown, Soviet and foreign newspaper articles on the case, and a number of Soviet and foreign letters and telegrams protesting against the trial and the verdict.[2]

In January 1967 Alexander Ginzburg was arrested, together with Jurij Galanskov, Aleksej Dobrovol'skij, and Vera Laškova. All three had helped him in compiling the White Book. They were put in Lefortovo prison in Moscow and were to remain there until their trial opened more than a year later.

On 22 January 1967, at 6 P.M., a group of about 25 people staged a demonstration on Puškin Square, Moscow, protesting the arrest of Ginzburg and his friends. Four people, Il'ja Gabaj, Vadim Delone, Evgenij Kušev and Viktor Chaustov were arrested. The first two were released a few hours afterwards. On January 25 and 26 Gabaj and Delone were again arrested, along with Vladimir Bukovskij. On 16 February Chaustov and Gabaj were tried under articles

[2] This book was published in Germany in 1967 as *Belaja kniga po delu A. Sinjavskogo i Ju. Danielja*. A shortened German version was published in the same year by Possev-Verlag, Frankfort o.M., under the title *Weissbuch in Sachen Sinjawski-Daniel*. Zusammengestellt von Alexander Ginsburg, Moskau. In English Ginzburg's documents can be found in the excellently edited collection *On trial* (see note 1).

190[3] (disturbance of public order) and 206-II (hooliganism) of the Criminal Code of the RSFSR. Chaustov was sentenced to three years, to be spent in a correctional labour colony of 'severe regime'. His sentence was changed by the Supreme Court of the RSFSR on 31 March into three years, 'general regime'. Instead of article 206-II he was now sentenced under article 191[1] (resisting an officer of the law). Gabaj, neither convicted nor acquitted, was released in June.

The trial of Bukovskij, Delone and Kušev took place on 30 and 31 August and 1 September 1967. It was "open" in the sense of the trial of Daniel' and Sinjavskij. Bukovskij got three years, Delone and Kušev a suspended sentence of one year with a probational period of five years. This sentence was upheld by the Supreme Court of the RSFSR on 16 October 1967.

We are now approaching the events that gave birth to the documents in this volume. An instructor of physics at the Moscow Lomonosov Institute of Fine Chemical Technology, Pavel Litvinov, decided to do for Bukovskij what his friend Alexander Ginzburg had done for Daniel' and Sinjavskij: he started to collect documents for a book called *Delo o demonstracii 22 janvarja 1967* (The case of the demonstration of 22 January 1967). This became known to the political police, and on 26 September Litvinov was called to the *Lubjanka* and told that if he made public the material he was collecting, he could expect to be arrested and tried. This threat notwithstanding, Litvinov went on collecting documents for his book.[3] Better still: he wrote

down his conversation with the KGB official as well as he remembered it and sent it to a number of newspapers, adding to this report a document from his book. Neither the Soviet newspapers nor the Western (communist) newspapers to which Litvinov addressed his letter published it. But it did appear in the *International Herald Tribune* of 29 December 1967. To understand the letters addressed to Litvinov after this publication (documents no 2–17 of this collection) one should be aware of the fact that in 1967 and 1968 many Soviet citizens listened regularly to Russian-language broadcasts of foreign radio stations, such as the B.B.C., the *Deutsche Welle*, the Voice of America, Radio Liberty, Radio Jerusalem, and others. A document of the Russian opposition has only to be considered 'news' by the editor of a big Western newspaper or news agency for it to become known to Soviet radio listeners from Minsk to Vladivostok. If those broadcasts had not existed, Litvinov's letter would not have become known to more than a few hundred people. Now it became known to millions.

On 8 January the trial against Ginzburg, Galanskov, Dobrovol'skij and Laškova opened at the Moscow City Court. At that moment very little was known. No information was given by the authorities. The Press Department of the Ministry of Foreign Affairs of the Soviet Union declared to Western correspondents that

³ A typescript called *Delo o demonstracii 22 janvarja 1967* reached the West at the beginning of 1968. See note 28 on p. 54. An English edition is in preparation.

the Department knew nothing about the case – ministry spokesmen would not even admit that there *was* such a case. Western journalists knew about it only because they were told about it by Russians who knew about it from relatives of the defendants who had been subpoenaed as witnesses.

During the trial all available information about it came from the back staircase and the corridor of the second floor of the Court building, where friends and relatives of the defendants, as well as Western correspondents and a great number of *družinniki*[4] were standing and waiting.

The information was of two kinds: the kind that transpired from furtive and hasty conversations with friends and relatives of the defendants, and the information leaked by government sources (agents of the KGB present in the corridor and posing as people with inside knowledge). The latter proved later to be deliberately untrue in several respects. The former was inaccurate and incomplete: witnesses and relatives who were at one time or another present in the courtroom had had no legal training, had heard only part of the proceedings and were often emotionally upset when they came out. Whenever a Western correspondent tried to get some information about what was going on in the courtroom from these people or from persons who had spoken to them, the *stukači* (as the informers of the KGB are called) would close in and try to listen

[4] See note 21 on p. 43.

xii

to the conversation, thereby frightening away the Russian informants.[5]

As this book goes to press, very little documentary evidence about the Ginzburg trial is available: the last pleas of Galanskov and Ginzburg, the summing up for the defence of their attorneys, the protocols of the searches made in their apartments before the trial.[6] In the Soviet press a number of articles were published, but their contents were mostly irrelevant or untrue.[7] It is to be hoped that, now that Litvinov is in gaol, some other friend of Ginzburg will have the time, the ability, the courage, and the resources to compile is his turn a White Book on the case of Ginzburg c.s. In the absence of such a book, the information given below can only be incomplete.

The four defendants were accused of anti-Soviet propa-

---

[5] This writer remembers a conversation he had in that corridor with the poet and mathematician Alexander Esenin-Vol'pin. It started in Russian. When the first *stukač* closed in, Vol'pin switched to halting French, whereupon the *stukač* vanished in quest of a French-speaking *commilito*. Meanwhile the conversation went on in Russian. As soon as the French-speaking *stukač* appeared we switched to English. The *stukač* vanished, and back we went to Russian. By the time the *stukači* were sufficient in number and in linguistic ability, our talk had taken a scholarly direction: we discussed Vol'pin's poetry, the editorial defects of his *Leave of Spring* (a biligual collection of his poems and an essay, published in London in 1961), and Comey's article in *Studies in Soviet Thought*.

[6] Copies of these documents are in my possession.

[7] See *Večernjaja Moskva* of 14 February, *Izvestija* of 16 February, *Komsomol'skaja pravda* of 18 January and 28 February, and *Literaturnaja gazeta* of 10 March 1968.

ganda and 'agitation' under article 70 of the Criminal Code of the RSFSR[8], their crime being the compiling, typing and distributing of Ginzburg's *White Book*. Galanskov was also indicted under article 88-I (illegal *valuta* operations). Both Galanskov and Ginzburg pleaded not guilty. Dobrovol'skij turned state evidence. Some people in Moscow think that he was 'planted' by the police from the beginning. During the trial a Venezuelan student, Nicolas Brocks-Sokolov, was introduced as a witness for the prosecution. He told the court that he had been sent to Moscow by the émigré organization N.T.S.[9], a representative of which had given him money and the portraits of the four defendants. It is not clear in what way his testimony was legally connected with the case, since he had never seen the defendants before and had been sent to Russia long after they had been arrested. His testimony, however, was used in a general campaign against Ginzburg and Galanskov, a campaign that found its expression both in the courtroom and in the Soviet press, and which accused the defendants of being 'paid agents of the N.T.S.', thus creating the impression that they were not idealistic young people who tried to help two writers they thought to be illegally condemned, but sinister agents of a foreign anti-Soviet organisation. The Court sentenced Galanskov to seven years hard labor, Ginzburg to five years, Dobrovol'skij to two years, and Laškova to one year deprivation of freedom.

[8] See note 62 on p. 166.
[9] See note 31 on p. 56.

On the last day of the trial Pavel Litvinov and Larisa Bogoraz (wife of Julij Daniel') distributed in the corridor of the Court building their appeal to world public opinion, which is printed as item 18 in this collection.

The document speaks for itself. Two things are remarkable about it: First, that the two protesters signed their document with their names and addresses and distributed it themselves among foreign correspondents. Second, that for the first time in Russian history since 1917, two citizens of the USSR not only protested openly against what they considered injustice, but appealed openly to their fellow citizens to join in their protest.

The protest of Bogoraz and Litvinov was not the only one; something like fifteen letters of protest, signed by in total about 700 people, reached Western journalists in Moscow.[10]

It is very difficult, of course, to assess the reaction of the Russian public to these protests and to the trial that caused them. Perhaps this collection of documents will be of some interest to students of Soviet affairs and to readers interested in what goes on in the Soviet Union.

With the exception of three or four letters of a clearly

[10] A good survey of these letters was given in the first issue (30 April 1968) of *God prav čeloveka v Sovetskom sojuze. Chronika tekučich sobytij* (The year of the Rights of Man in the Soviet Union. A chronicle of current events), a typewritten periodical circulating in Moscow in the first half of 1968. See also *Problems of Communism*, vol. XVII, no. 4 and 5, 1968.

psychopathic character (which Mr. Litvinov passed around to his friends and subsequently lost), this volume contains the full text of all the letters and telegrams received by Pavel Litvinov following his letter of 3 October 1967 to the editors of *Izvestija* and other newspapers, and his joint declaration with Larisa Bogoraz of 11 January 1968. Some of the letters did not reach him by mail, but were dropped in his mailbox. There is reason to believe that not all the letters sent were actually delivered. One telegram printed in this collection never reached its destination in its original form.

In preparing this volume for the press, the editor was in the paradoxical situation that trying to get access to the original letters and telegrams was likely to attract the attention of those who might be inclined to take steps to make their publication impossible. Therefore this edition is, with a few exceptions, based on copies, typed from the originals and made available to the editor by persons he will not mention but whose honesty and good faith he has learned to appreciate the more since he encountered them in circumstances and in a country where these human qualities sometimes can assert themselves only with great difficulty.

Minor typing and spelling mistakes have been corrected. For reasons students of Russian affairs will understand, signatures and addresses have been deleted. At the end of each document the reader will find between [ ] its date and place of origin, established either from the document itself or from the postmark;

if the writer gave his name and address, or simply his name, this is also stated between [ ]. Square brackets also are used to indicate the name of the letter writers when those names do not occur at the end of the letters, and to expand some abbreviations.

Except in the case of words which have an established English equivalent (*e.g.*, Alexander, Soviet, Archangel) Russian names and other Russian words appearing in the translation and in the notes have been spelled according to the international transliteration. Russian *x* is spelled as *ch*; no difference has been made between *e* and э, ъ and ь.

Since in civilized society a man is not held responsible for the comments of others on his writings, readers need not be reminded that Mr. Litvinov[11] is (with the exception, of course, of documents 1 and 18) in no way responsible for any statement in this volume.

Moscow, July 1968
Amsterdam, January 1969.   K. VAN HET REVE

[11] 25 August 1968 Pavel Litvinov took part in a demonstration against the occupation of Czechoslovakia. He was arrested, together with five other demonstrators (Konstantin Babickij, Larisa Bogoraz, Vadim Delone, Vladimir Dremljuga and Viktor Fajnberg) and sentenced (11 October 1968) to five years banishment.

Letters and Telegrams to Pavel Litvinov
December 1967—May 1968

1

Главному редактору газеты 'Известия'
Главному редактору 'Литературной газеты'
Главному редактору газеты 'Московский комсомолец'
Главному редактору газеты 'Комсомольская правда'
Главному редактору газеты 'Морнинг стар'
Главному редактору газеты 'Юманите'
Главному редактору газеты 'Унита'[1]

Считаю своим долгом довести до сведения общественности следующее:

26 сентября 1967 года я был вызван в Комитет государственной безопасности[2] к работнику Комитета Гостеву (пл. Дзержинского, 2, комн. 537). При нашем разговоре присутствовал еще один работник КГБ, не называвший себя.

Сразу после этого разговора я записал его по памяти, поскольку, как я убежден, он наглядно обнаружил тенденции, которые должны стать предметом гласности и не могут не встревожить нашу

[1] The communist newspapers *The Morning Star* (London), *l'Humanité* (Paris), and *l'Unità* (Rome) had correspondents in Moscow. They did not print Litvinov's letter, nor did the other newspapers to which it was addressed. An abridged version was published in the *International Herald Tribune* of December 29, 1967, together with the final plea of Vladimir Bukovskij before the Moscow City Court on September 1, 1967. Both documents became known to the Soviet public via Russian-language broadcasts by Western radio stations.

2

1

To the Editor-in-Chief of 'Izvestija'
To the Editor-in-Chief of 'Literaturnaja gazeta'
To the Editor-in-Chief of 'Moskovskij komsomolec'
To the Editor-in-Chief of 'Komsomol'skaja pravda'
To the Editor-in-Chief of 'Morning Star'
To the Editor-in Chief of 'l'Humanité'
To the Editor-in-Chief of 'l'Unità'[1]

I consider it my duty to bring the following to the notice of public opinion.

On 26 September 1967 I was summoned to the Committee of State Security[2] to be interviewed by an official of the Committee named Gostev (in Room 537, at No 2, Dzeržinskij Square). During our talk another K.G.B. official was present but did not give his name. Immediately the conversation was over, I wrote it down from memory, because I was convinced that it graphically revealed tendencies which should be given publicity and which cannot but cause alarm to progressive public opinion both in our country and throughout the world. Here is the record of the

[2] The political police. The name of this institution has undergone frequent changes. Founded (June, 1811) as *Особенная канцелярия министерства полиции* (Special Chancery of the Ministry of Police), in November, 1819, renamed *Особенная канцелярия министерства внутренных дел* (Special Chancery of the Ministry of Interior Affairs), it became in 1826 *Третье отделение собственной Его Императорского Величества канцелярии* (Third Section of His Imperial Majesty's Own Chancery), which it remained until August, 1880, when it changed into *Департа-*

Continuation on page 4

3

и мировую прогрессивную общественность. Привожу текст разговора. За точность передачи основного содержания сказанного представителем КГБ[2] и мною я ручаюсь.

Гостев: Павел Михайлович, у нас есть сведения, что вы с группой лиц собираетесь изготовить и распространить запись последнего уголовного процесса Буковского и других.[3] Мы вас предупреждаем, что, если вы это сделаете, вы будете нести уголовную ответственность.

Я: Независимо от того, собираюсь я это делать или нет, мне непонятно, в чем уголовная наказуемость такого действия.

Гостев: Это будет решать суд над вами, а мы вас только хотим предупредить, что, если такая запись получит распространение в Москве или других городах или попадает за-границу, вы будете отвечать за это.

мент государственной полиции (Department of State Police). This institution vanished with the revolution of February, 1917. On December 20, 1917, the *Всероссийская чрезвычайная комиссия по борьбе с контрреволюцией, саботажем и спекуляцией* (All-Russian Extraordinary Commission for the Struggle against Counter-Revolution, Sabotage, and Speculation) was founded, and in its turn renamed *Государственное политическое управление* (State Political Administration, March, 1922), *Объединенное государственное политическое управление* (United State Political Administration, November, 1923), *Народный комиссариат внутренних дел* (People's Commissariat of Interior Affairs, July, 1934), *Министерство государственной безопасности* (Ministry of State Security, 1943), *Министерство внутренних дел* (Ministry of Interior Affairs, March, 1953). Since March, 1954, it has been called *Комитет государствен-*

conversation. I vouch for the accuracy with which I have reported the essential content of what was said, both by the representative of the K.G.B. and by myself.

Gostev: Pavel Michajlovič, we are informed that a group of persons which include yourself intend to prepare and distribute a report of the recent trial of Bukovskij and others.[3] We warn you that, if you do this, you will be charged with a criminal offence.

I: Whether or not I intend to do what you say, I don't understand how such an action can be punishable as a crime.

Gostev: That will be decided at your trial, and we merely wish to warn you that if a report such as I have mentioned is distributed in Moscow or other cities, or becomes known abroad, you will be held responsible for it.

I: I know our laws well, and I can't imagine what law

ной безопасности при Совете министров СССР (State Security Committee of the Council of Ministers of the USSR). After the revolution this institution was headed successively by Feliks Edmundovič Dzeržinskij (1877–1926; 1917–1926), Vjačeslav Rudol'fovič Menžinskij (1874–1934; 1926–1934), Genrich Grigor'evič Jagoda (1891–1938; 1934–1936), Nikolaj Ivanovič Ežov (1895–1939; 1936–1938), Lavrentij Pavlovič Berija (1899–1953; 1938–1953), Sergej Nikiforovič Kruglov (b.1900; 1953–1954), Ivan Aleksandrovič Serov (b.1905; 1954–1958), Aleksandr Nikolaevič Šelepin (b.1918; 1958–1961), Vladimir Efimovič Semičastnyj (b.1924; 1961–1967), Jurij Vladimirovič Andropov (b.1914; 1967–).

[3] Apparently to let it be known that he intended to do just that, Mr. Litvinov attached to his letter a transcript of the final plea of Vladimir Bukovskij.

Я: Я хорошо знаю законы и не представляю себе, какой закон может быть нарушен при составлении такого документа.

Гостев: Есть такая статья: сто девяностая-первая.[4] Возьмете Уголовный кодекс и прочитаете.

Я: Я отлично знаю эту статью (кстати, расследование по этой статье – не в компетенции[5] КГБ) и могу прочитать ее на память. В ней идет речь о клеветнических измышлениях, порочащих советский общественный и государственный строй. Какая может быть клевета в записи дела, слушавшегося в советском суде?

Гостев: А ваша запись будет тенденциозно искажать факты и клеветать на действия суда.[6] Это докажут те органы, в чьей компетенции такие дела.

Я: Как вы это можете знать заранее? И вообще, чем вести этот бессмысленный разговор и заводить новое дело, вы бы сами издали стенограмму этого

[4] By a decree, dated September 16, 1966, of the Presidium of the Supreme Soviet of the RSFSR, a new article, No. 190–1, was added to the Criminal Code of the RSFSR: Систематическое распространение в устной форме заведомо ложных измышлений, порочащих советский государственный и общественный строй, а ровно изготовление или распространение в письменной, печатной или иной форме произведений такого же содержания наказывается лишением свободы на срок до трех лет, или исправительными работами на срок до одного года, или штрафом до ста рублей. (The systematic circulation in oral form of fabrications, known to be false, which defame the Soviet state and social system, or the preparation or circulation in written, printed, or other form of works of such content, shall be punished by deprivation of freedom for a term not exceeding three years, or by correctional

could be broken by the compiling of such a document.

Gostev: There is such a law – Article 190-1.[4] Look it up in the Criminal Code.

I: I know that law perfectly well (incidentally, it is not within the competence[5] of the K.G.B. to carry out investigations under Article 190-1), and I can recite it from memory. It is concerned with slanderous fabrications, defamatory to Soviet society and the Soviet political system. What can be slanderous in a report of the hearing of a case before a Soviet court?

Gostev: But your report will distort the facts in a tendentious way and slander the conduct of the trial.[6] This will be shown by the organs within whose competence such matters fall.

I: How can you know that in advance? And in general, instead of holding this silly interview and starting a fresh case, you ought yourselves to publish a verbatim

---

tasks for a term not exceeding one year, or by a fine not exceeding one hundred roubles.)

[5] According to the decree mentioned in note 4, the preliminary investigation in matters concerning article 190-1 should be held by the *prokuratura.*

[6] Научно-практический комментарий к Уголовному кодексу РСФСР расшифровывает понятие клеветы как заведомо ложных измышлений, то есть для наступления уголовной ответственности необходимо, чтобы искажения были злонамеренными. (A theoretical and practical commentary on the Criminal Code of the RSFSR defines the concept of slander as deliberate falsification, so that for a criminal offence to be committed it is necessary that any distortion should be malicious. Note by Mr. Litvinov – Ed.)

судебного процесса и пресекли бы ходящие по Москве слухи. Я вчера встретил одну знакомую, и она мне столько ерунды наговорила об этом деле, что просто противно слушать.

Гостев: А зачем нам ее издавать? Это обычное уголовное дело о нарушении общественного порядка.

Я: Если это так, тогда тем более о нем стоит дать информацию, чтобы все увидели, что оно действительно обычное.

Гостев: Вся информация об этом деле есть в 'Вечерней Москве' от 4 сентября.[7] Там есть все, что нужно знать об этом процессе.

Я: Во-первых, информации там мало: читатель, ничего ранее не слышавший об этом деле, просто не поймет, о чем речь. Во-вторых, она лживая и

---

[7] The newspaper Вечерняя Москва (Evening Moscow) of September, 4, 1967, carried the following item: В Московском городском суде. 30 августа - 1 сентября Московский городской суд рассмотрел уголовное дело по обвинению Буковского В. К., Делоне В. Н. и Кушева Е. И. – лиц без определенных занятий, привлеченных за нарушение общественного порядка в Москве.

Все подсудимые, обвинявшиеся по ст. 190-3 Уголовного кодекса РСФСР, признали себя виновным и рассказали о своих преступных действиях. Их вина подтверждена показаниями многих свидетелей.

Буковский в течение длительного времени нигде не работал, много раз предупреждался органами власти за совершение хулиганских антиобщественных действий. Он виновен также в том, что на скамье подсудимых рядом с ним оказались Делоне и Кушев.

Суд приговорил Буковского к 3 годам лишения свободы,

8

report of that trial, and put a stop to the rumours that are running round Moscow. Yesterday I met a friend of mine who gave me such a fantastic account of the trial that it was disgusting to listen to.

Gostev: But why should we publish it? It was just an ordinary case of a breach of public order.

I: If that is so, then there is all the more reason why you should make the information available, so that everyone can see that it really was just an ordinary case.

Gostev: Everything about the case appeared in *Večernjaja Moskva* of 4 September.[7] Everything one needs to know about it was there.

I: In the first place, the information given was meagre: a reader who had heard nothing previously about the case would simply fail to understand what it was all about. In the second place, the information given was

Делоне и Кушева – каждого к 1 году условно. (At the Moscow City Court. From August 30 to September 1 the Moscow City Court heard the criminal case against V. K. Bukovskij, V. N. Delone, and E. I. Kušev – persons without definite employment, indicted for causing a public disturbance in Moscow. All the defendants, indicted under art. 190–3 of the Criminal Code of the RSFSR, pleaded guilty and told the court about their criminal activities. Their guilt has been confirmed by the testimony of many witnesses.

Bukovskij has not worked anywhere for a long time, and has been warned many times by the authorities because of his antisocial hooligan acts. It is also his fault that Delone and Kušev ended up in the dock beside him.

The Court sentenced Bukovskij to three years deprivation of freedom, Delone and Kušev to a suspended sentence of one year.)

клеветническая. Вот редактора 'Вечерней Москвы' или того, кто дал эту информацию, следовало бы привлечь на клевету…

Гостев: Павел Михайлович, эта информация совершенно точная, запомните это.

Я: Там сказано, что Буковский признал себя виновным, а я интересовался этим делом и точно знаю, что он *не* признал себя виновным.

Гостев: Что значит: признал, не признал? Суд признал его виновным – значит, он виновен.

Я: Я говорю сейчас не о решении суда, да и в заметке имеется в виду не это, а признание своей вины самим обвиняемым – это совершенно самостоятельное юридическое понятие. Затем в заметке говорится о том, что ранее Буковский совершал 'хулиганские антиобщественные поступки'. Как ни рассматривай его действия, хулиганскими назвать их нельзя.[8]

Гостев: Хулиганство – это нарушение общественного порядка.

Я: Значит, любое нарушение общественного порядка – хулиганство? Например, улицу не в том месте перешел – уже хулиган?

Гостев: Павел Михайлович, вы же не маленький. Отлично понимаете, о чем идет речь.

---

[8] Букоский в 1963 г. был арестован за то, что изготовил фотокопию отрывков из книги Джиласа 'Новый класс', признан невменяемым и отправлен на один год и девять месяцев в специальную тюремную психиатрическую больницу в Ленинград. (Bukovskij was arrested in 1963 for having made a

10

false and slanderous. The editor of *Večernjaja Moskva*, or whoever supplied him with the information, deserves to be charged with slander....

Gostev: Pavel Michajlovič, the information was perfectly correct; keep that in mind.

I: They said that Bukovskij pleaded guilty, but I have looked into this case and I know for sure that he did *not* plead guilty.

Gostev: What does it signify what he pleaded or didn't plead? The court found him guilty, so he was guilty.

I: I'm not talking now about the court's verdict, and the newspaper report didn't mean that, either; I'm talking about the plea made by the accused, which is a quite distinct juridical concept. Then, the report said that Bukovskij had previously engaged in 'hooligan anti-social behaviour'. However you look at his behaviour, it can't be called 'hooligan' behaviour.[8]

Gostev: Hooliganism means violation of public order.

I: So, then, any violation of public order is hooliganism? For instance, if you cross the street at the wrong place you're a hooligan?

Gostev: Pavel Michajlovič, you are not a child, you know perfectly well what we are talking about.

I: And more should be said about Bukovskij, too: for instance, how he was arrested by the *družinniki*[21],

photocopy of excerpts from Djilas' book *The New Class*, found to be not answerable for his actions, and sent for a year and nine months to a special psychiatric prison-hospital in Leningrad. Note by Mr. Litvinov – Ed.)

11

Я: А вообще о Буковском надо было бы рассказать побольше: например, как его задержали дружинники во время чтения стихов на площади Маяковского, отвели его в отделение и избили.

Гостев: Это не правда, этого не могло быть!

Я: Это рассказала его мать.

Гостев: Мало ли чего она вам расскажет…

Я: Она это рассказала не мне (я с ней не знаком), а суду, и никто ее не перебил и не обвинил в клевете.

Гостев: Лучше бы она вам рассказала, как ее вызывали и предупреждали о поведении сына. Мы и ваших родителей можем вызвать. И вообще, Павел Михайлович, имейте в виду: в 'Вечерней Москве' напечатано все, что полагается знать советским людям об этом деле, и она совершенно правдива, а вас мы предупреждаем, что если даже не вы, а ваши друзья или кто бы то ни было сделает эту запись, нести за это ответственность будете именно *вы*.

Я: Это интересно. Вы говорите об ответственности по закону, а закон предусматривает, что отвечает за действия человек, их совершивший.

Гостев: Вы можете это предотвратить.

Я: Но вы мне так и не объяснили, в чем опасность и наказуемость этих действий.

Гостев: Вы отлично знаете, что такая запись может быть использована нашими идейными врагами, особенно накануне 50-летия Советской власти.

Я: Но я не знаю закона, предусматривающего ответственность за распространение несекретного *до-*

12

when he was reading poetry in Majakovskij Square, taken to the police station, and beaten up.

Gostev: That's not true, it could not have happened.

I: It's what his mother said.

Gostev: She'd tell you anything.

I: She didn't tell me, I don't know her; she told the court, and nobody interrupted her or accused her of slander.

Gostev: It would have been better if she had told you how they summoned her and warned her about her son's conduct. We can summon your parents, too. And, altogether, Pavel Michajlovič, bear in mind the fact that *Vecernjaja Moskva* printed everything that Soviet people need to know about that case, and it gives faithful accounts; and we warn you that even if not you but friends, or anybody at all, should produce this report we are talking about, then the person held responsible will be *you.*

I: That is interesting. You are talking about responsibility before the law, but the law provides that a man is answerable for actions performed by himself.

Gostev: You can prevent it.

I: But you haven't shown me why these actions are dangerous and punishable.

Gostev: You know quite well that a report like that could be used by our ideological enemies, especially on the eve of the fiftieth anniversary of Soviet power.*

I: But I don't know of any law which makes it an offence to distribute a non-secret *document* merely because it might be made use of by somebody for

*For *Soviet power* throughout book read *Soviet Government*.

13

кумента – только потому, что он может быть кем-то с какой-то целью использован. Многие критические материалы из советских газет тоже могут быть кем-то использованы.

Гостев: Вам ясно, о чем идет речь. Мы вас только предупреждаем, а вину докажет суд.

Я: Докажет, я не сомневаюсь, это ясно хотя бы из суда над Буковским. И мой друг Александр Гинзбург сидит в тюрьме за такие же действия, о каких вы говорите, предупреждая меня.

Гостев: Вот когда будут судить Гинзбурга, вы и узнаете, что он сделал. Если он невиновен, то его оправдают. Неужели вы думаете, что сейчас, на пятидесятом году Советской власти, советский суд может принять неправильное решение?

Я: Тогда зачем процесс Буковского сделали закрытым?

Гостев: Процесс был открытым.

Я: Но на него нельзя было попасть.

Гостев: Кому надо, те попали. Там были представители общественности, а больше в зале не было мест. Мы из-за этого дела снимать не собирались.

Я: Значит, фактически нарушена гласность судопроизводства.

Гостев: Павел Михайлович, мы не собираемся с вами дискутировать. Мы вас просто *предупреждаем.* Представляете себе, весь мир узнает, что внук великого дипломата Литвинова [9] занимается таки-

---

[9] Maksim Maksimovič Litvinov (1876–1951), people's commis-

some purpose or other. Many critical reports that appear in the Soviet press can also be used by somebody.

Gostev: You are perfectly aware what this is all about. We are simply warning you, the court will prove your guilt.

I: I don't doubt that it will, that's clear from Bukovskij's trial. And my friend Alexander Ginzburg is in custody for just such deeds as you are warning me against.

Gostev: When Ginzburg is brought to trial you will learn what he did. If he is not guilty, he'll be let off. Surely you don't think that today, in the fiftieth year of Soviet power, a Soviet court is capable of making a wrong decision?

I: Then why was Bukovskij's trial held *in camera*?

Gostev: The case was heard in public.

I: But one couldn't get into the court.

Gostev: Those who needed to get in, got in. Representatives of the public were present, and there was no more room in the court. We were not going to cancel the trial on that account.

I: So that, in fact, the rule about judicial proceedings being held in public was broken.

Gostev: Pavel Michajlovič, we don't intend to have a discussion with you. We are simply *warning* you. Just imagine, if the whole world were to learn that the grandson of the great diplomat Litvinov [9] is engaged in conduct of this sort – why, it would be a blot on his memory.

sar of foreign affairs from 1930–1939, was the grandfather of Pavel Michajlovič Litvinov.

ми делами, – это будет пятном на его памяти.

Я: Ну, я думаю, что он не был бы на меня в претензии. Я могу идти?

Гостев: Пожалуйста. Самое лучшее для вас сейчас: поехать домой и уничтожить все, что у вас есть.

Я знаю, что подобного рода беседа была проведена с Александром Гинзбургом за два месяца до его ареста.

Я протестую против подобных действий органов государственной безопасности, которые являются неприкрытым шантажом.

Я прошу вас опубликовать это письмо, чтобы в случае моего ареста общественность была информирована о предшествовавших ему обстоятельствах.

П. М. Литвинов, ассистент кафедры физики Московского института тонкой химической технологии имени Ломоносова

Москва К-1, ул. Алексея Толстого, 8, кв. 78
3 октября 1967 г.

2

Вы этого заслужили как никто другой.
Вот мои пожелания:

Т.Р. Ус.

[Ленинград, 30.12.67]

16

I: Well, I don't think he would hold it against me. May I go?

Gostev: Certainly you may. The best thing for you to do now would be to go back home and destroy everything you have there.

I know that Alexander Ginzburg underwent an interview like this two months before he was arrested.

I protest against behaviour of this sort on the part of the state security organs, behaviour which amounts to unconcealed blackmail.

I ask you to publish this letter, so that in case I am arrested, public opinion will be informed about the circumstances leading up to this event.

P. M. Litvinov, lecturer in the physics department of the Moscow Lomonosov Institute of Fine Chemical Technology.

Apt. 78, 8, Aleksej Tolstoj Street, Moscow K-1
3 October 1967

2

You have deserved this more than anybody.
Here are my wishes for you:

C. O. Ward

[Leningrad, 30.12.67]

17

3

Дорогой Литвинов!
(внук)

Поздравляю Вас с Новым Годом!
Желаю крепкого здоровья, успехов и счастья в жизни, труде, учебе, любви и политической борьбе!

[Ленинград, 30.12.67; подпись]

4

П. Литвинову

Привет!

[Москва, 30.12.67]

5

Здравствуй, Павел Михайлович!

Хотя, если верить, что Вам всего 23 года[10], такая официальность ни к чему, так как в возрасте разница всего лишь на два года. Почему меня заинтересовал Ваш возраст, надеюсь, догадываетесь, так как мне показалось крайне легкомысленно Ваше поведение, если бы у Вас была семья. Ну, а в таком

[10]. P. M. Litvinov was born on July 6, 1940.

18

3

Dear Litvinov!
(grandson)

Best wishes for the New Year!
May you have good health and all success and happiness in life, work, study, love, and political struggle!

[Leningrad, 30.12.67; signed]

4

To P. Litvinov

Greetings!

[Moscow, 30.12.67]

5

Dear Pavel Michajlovič!

If it is true that you are only 23 years old[10], this formal style of addressing you is out of place, since there is a difference of only two years in our ages. I hope you can guess why your age interested me – because your conduct seemed to me frivolous in the extreme if you had a family. Well, at such an age one is apt to do anything. Of course, it is even more frivolous of me to

возрасте еще и не то можно сделать. Конечно, с моей стороны еще легкомысленнее Вам писать всякие глупости, но ведь все мы 'с причудами'! А я сейчас поздравляла своих товарищей и Вас, но нечаянно вложила в Ваш конверт открытку, адресованную другому. Может, это было бы к лучшему, больше посмеялись бы, но я вовремя спохватилась и теперь еще пишу эту 'шпаргалку'. Ну, ладно, мне пора идти, а то уже вечер, темнеет и по городу ходить ночью небезопасно.

Будьте здоровы, осторожны, горячность только губит людей, пробуйте 'пробить лбом стенку, не наживая шишки'!

Уважающая Вас
Татьяна

Разрешите поздравить Вас с самым веселым и хорошим, на мой взгляд, праздником! Пожелать исполнения всех Ваших желаний не только в этом Новом году, но и на протяжении всей Вашей жизни.

[Рига, 30.12.67]

6

Уважаемый Павел Михайлович!

Поздравляю Вас с Новым годом! От души желаю Вам крепкого здоровья и дальнейших успехов в Вашей просветительной деятельности, в борьбе с мракобесами и бурбонами...

write such silly things to you, but after all we are all full of odd notions! And I have just sent my good wishes to my comrades and to you, but accidentally put in your envelope a card addressed to somebody else. Perhaps this would have been all right, just taken as a joke, but I have remembered it in time and so I am now sending you this 'key to the mystery'. Well, it is time to go now, it is already evening, it's getting dark, and it's a bit dangerous to walk about the city at night. Look after your health and take care, fervour only ruins people, try to 'make a hole in the wall with your forehead without getting bumps on it'!

With esteem,
Tat'jana

Allow me to greet you on what I think is the merriest and best of holidays and to wish that you will fulfil all your ambitions not only in this New Year but throughout your life.

[Riga, 30.12.67]

6

Dear Pavel Michajlovič!

Best wishes for the New Year! I wish you, with all my heart, the best of health and further success in your work of enlightenment, struggling against the obscurantists and Bourbons....

21

'Правда не должна зависеть от того, кому она должна служить' (Ленин, т. 54, стр. 446).[11]
Верю в силу разума и истинной науки.

Уважающий Вас незнакомец-патриот.

[Казань, 30.12.67]

7

поздравляю новым годом искренне желаю здоровья счастья восхищен вами

валерий

[Москва, 30.12.67]

8

Уважаемый П. М. Литвинов!

Недавно узнал о Вашем письме в редакции ряда советских и зарубежных газет. Хочется выразить чувство уважения и гордости за Ваш мужественный и смелый поступок, который, безусловно, одобряет большинство нашей общественности. У нас часто говорят о безграничной любви к народу, но по-чему-то боятся этого народа и подчас информиру-

---

[11] From a letter to the Hungarian economist E. Varga, dated

'Truth must not depend on those whose interests it serves' (Lenin, vol. 54, p. 446)[11]
I believe in the power of reason and of genuine science.

                              With esteem, from a patriot
                              who is a stranger to you.
[Kazan, 30.12.67]

7

best wishes new year sincerely wish health happiness admire you

                                              valerij
[Moscow, 30.12.67]

8

Dear P. M. Litvinov!

I learnt recently of your letter to the editors of a number of Soviet and foreign newspapers. I want to express my feeling of respect and pride at your courageous and bold initiative, that without any doubt is approved by the majority of our people. We often hear talk about boundless love for the people, but for some reason they fear the people and sometimes give the people false

September 1, 1921, and first published in the fifth edition of Lenin's works in 1965.

ют его неверно о событиях, происходящих в стране.

С дружеским приветом. Аспирант[12]

Поскольку Вашей перепиской наверняка интересуется КГВ, я, к сожалению, в настоящее время не могу подписаться под этим письмом.

[Москва, 31.12.67]

9

Уважаемый Павел Михайлович!

Поздравляем Вас с Новым Годом, в котором желаем Вам всяческих благополучий в жизни и больших успехов в Ваших делах!

С Новогодним приветом.
Ваши друзья

[Москва, 31.12.67]

10

Дорогой Павел Михайлович!

Горячо поздравляю Вас с 1968 годом!
Восхищены Вашим мужеством!

---

[12] An *aspirant* is a student who has graduated from an institution of higher learning and is, for a period of three years, attached to

24

information about things that happen in our country.

Yours in friendship, Research Student[12]

Since your correspondence is certain to be of interest to the K.G.B., I cannot at this time, unfortunately, put my signature to this letter.

[Moscow, 31.12.67]

9

Dear Pavel Michajlovič!

Greetings for the New Year, in which we wish you all happiness in life and great success in your work!

With a New Year salute,
Your friends.

[Moscow, 31.12.67]

10

Dear Pavel Michajlovič!

Cordial greetings for 1968!
We admire your courage!

such an institution, doing research, sometimes teaching, and working on his dissertation.

Желаем титанических сил и стойкости в Вашем правом деле!
Слава и почет вам дорогие сыны Русского народа!

Незнакомая Вам семья
учителей [...]

[Киев, 31.12.67; подпись]

11

Моя младшая дочь, уважаемый Павел Михайлович, сказала мне, когда я писал Новогодние открытки, что поздравлять нужно всех – всех на свете.
Конечно, я не согласился, но прослушав запись 'Русские женщины' Н. А. Некрасова[13], поздравляю Вас с наступающим Новым годом, желаю Вам торжества и успехов, здоровья.

С уважением

[Ярославль, 31.12.67; подпись, адрес]

12

Желаем Вам, мужественному и честному гражданину своей Родины, здоровья и счастья в Наступающем году.

[13] Two poems (1871–1872) by Nikolaj Nekrasov (1821–1878), one about Ekaterina Ivanovna Laval' (d. 1853), wife of prince Sergej Petrovič Trubeckoj (1790–1860), the other about Marija Nikolaevna Raevskaja (1805–1863), wife of prince Sergej

We wish you a giant's strength and tenacity in your just cause!

Glory and honour to you, dear sons of the Russian people!

A family of teachers whom you don't know.

[Kiev, 31.12.67; signed]

11

Dear Pavel Michajlovič, my youngest daughter has told me that when I write my New Year cards I must send good wishes to everybody – everyone in the world.

I didn't agree, of course, but after listening to a record of N. A. Nekrasov's 'Russian Women'[13] I send you my good wishes for the coming year. I hope you will have victories, success, and good health.

With esteem

[Jaroslavl', 31.12.67; signature, address]

12

We wish you, brave and honourable citizen of your country, health and happiness in the coming year.

Grigor'evič Volkonskij (1788–1865). Both followed their husbands, who were sentenced to hard labour for their part in the revolt of December 14, 1825, to Siberia.

От всего сердца желаем осуществления Вашей мечты.

Незнакомая, но любящая Вас семья

[Москва, 31.12.67]

13

Литвинову

Радости и счастья в новом году!

[Москва, 31.12.67]

14

С новым годом, Уважаемый Павел Михайлович! Желаем Вам успехов и только успехов везде и во всем.

Ваши друзья

[Таллин, 4.1.68]

15

Внуку Литвинова.

Пишет вам обыкновенная советская женщина, беспартийная, много испытавшая, знавшая голод и холод и во время гражданской войны и во время Отечественной, знающей вкус заработанного самой

28

From the depths of our hearts we wish that you may realize your dream.

A family you don't know but who love you.

[Moscow, 31.12.67]

13

To Litvinov,

Joy and happiness in the New Year!

[Moscow, 31.12.67]

14

All the best for the New Year, dear Pavel Michajlovič! We wish you success and nothing but success, everywhere and in everything.

Your friends.

[Tallin, 4.1.68]

15

To Litvinov's grandson.

This letter is written to you by an ordinary Soviet woman, not a party member, who has experienced much, known hunger and cold, during both the Civil War and the Patriotic War, who has known the taste of bread

хлеба и занимающей в кассе взаимопомощи[14] десятку, что-бы дотянуть до зарплаты. Но все это настоящие пустяки перед непоправимым несчастьем с единственным ребенком – мой сын уже много лет прикован к постели и он никогда не будет ходить.

Если бы мне сказали: 'твой сын завтра встанет и пойдет, будет бегать на лыжах, сможет пойти в лес, в театр – куда захочет, узнает все радости жизни, – для этого нужно только пустяки – написать тебе пасквиль на советскую власть и передать иностранным журналистам'. Мне не нужно было бы и секунды задуматься над таким предложением, я ответила бы просто, без всякого пафоса – никогда!

А вы, кому советская власть дала все, кому с раннего детства во всем была – зеленая улица, вы, который всегда имел путевки куда угодно, который мог выбирать любой вуз, привыкший к готовым пайкам, который получал квартиру от Моссовета вне всякой очереди и в пределах Садового кольца[15], вы, которые привыкли спекулировать заслугами предков и получать, как должное, все блага жизни, так – за здорово живешь, – вы – ничтоже сумняшеся – пишете пасквиль на советскую власть и передаете грязным журналистам для грязной передачи через 'Голос Америки', да еще заявляете, что дед одобрил бы вас. Да как вы смеете отвечать за деда! Он

[14] A fund, administered by the Trade Union, from which employees can receive an advance on their wages and, under certain circumstances, financial aid.

earned by her own toil, and known what it is to draw ten roubles from the mutual-help fund[14] in order to last out till pay-day. But all these are mere trifles beside the irremediable misfortune I have suffered with my only child – my son has been confined to his bed for many years now and will never be able to walk.

Suppose somebody said to me: 'Tomorrow your son will get up and walk, go ski-ing, be able to go to the woods, to the theatre, wherever he likes, and know all the joys of life; for this to happen, only a trifle is needed, namely, that you write a libel on the Soviet power and send it to foreign journalists.' I should not hesitate one second to consider such a suggestion, I should reply simply, without any dramatics – never!

But you, to whom the Soviet power has given everything, for whom from infancy all roads have been open, you who have always been able to go wherever you wanted, who could choose whatever university you liked, who have always enjoyed material security, who were given a flat by the Moscow municipality without having to wait your turn, and a flat within the Garden Ring[15] at that, you who have made a habit of capitalizing on your forefathers' services and, all for nothing, taking all the good things of life as your due, you unhesitatingly write a libel on the Soviet power and send it to filthy journalists to be used in a filthy broad-

[15] A boulevard, about ten miles long, that encircles the centre of Moscow.

всю жизнь боролся за мир и покой для советских людей, а вы подливаете масла в огонь в те очаги войны, которые уже существуют.

Вы и ваши единомышленники, пресыщенные, опустошенные, воспитание которых так много стоило советскому народу, вы ищете острых ощущений, потому что вы душевные импотенты. Простые человеческие чувства, – *элементарные*, – как совесть, честь, чувство родины – у вас атрофированы, поэтому вы занимаетесь словоблудием, этакой щекоткой притупленных нервов. Это вы породили стиляг и подонков, это вы с притупленным вкусом придумываете адские смеси, вроде 'Кровавой Мэри'[16] и пьете их на своих вечеринках, во время которых изощряетесь в том – как бы еще сделать какую нибудь гадость, лишь бы прослыть 'героем', 'гениальной личностью' и т. д. Эх, вы, душевные импотенты.

Вы и адрес свой сообщили в своем подлом письме, чтобы обезопасить себя, но, чтобы этот жест обязательно выглядел как акт храбрости. Никого вы не обманете! Вы наплевали в мертвые глаза своего деда и опоганили праздник советским людям, кто случайно слышал в тот вечер 'Голос Америки'. Вас бы надо было выставить на площади Революции, чтобы прохожие плевали в вашу физиономию, предатель. И не удивляйтесь, если советские люди бу-

---

[16] A cocktail of American invention, consisting mainly of tomato juice and vodka.

cast by the 'Voice of America', and even declare that your grandfather would have approved of you. How dare you speak for your grandfather! All his life he fought for peace and security for the Soviet people, but you are pouring oil on the fires of war that are already blazing.

You and those who think like you, sated, spiritually bankrupt people, whose education has cost the Soviet people so much, are in search of acute sensations, because you are spiritually impotent. Ordinary human feelings, *elementary* feelings like conscience, honour, love of country, have dried up in you, and so you go in for verbal fornication, a sort of tickling of deadened nerves. It is people like you who have engendered the teddy-boys and other riff-raff, you with your deadened taste who have thought up hellish mixtures like 'Bloody Mary'[16] to enjoy at your evening parties, where you discuss wittily how to carry out some further dirty trick, so as to pass for a 'hero', a 'personality of genius', and so on. Ugh, you spiritually impotent creatures.

You gave your address in your vile letter so as to cover yourself and so that this deed of yours might seem a brave one. Your deceive nobody! You have spat on the dead eyes of your grandfather and defiled the New Year festival for those Soviet people who accidentally heard the 'Voice of America' that evening. You should be exposed in Revolution Square for passers-by to spit in your mug, you traitor. And don't be surprised if Soviet people hold their noses when they

дут зажимать нос, проходя мимо вас, как мимо кучи дерьма, т.к. вы – синонимы.

От имени матерей детей-инвалидов написала вам

[5.1.68, подпись]

16

Дорогой Павел Михайлович!

Поздравляю[17] Вас с Новым годом! Желаю Вам счастья, здоровья и успехов в жизни! Обращаюсь к Вам с просьбой. Не могли бы Вы выслать в мой адрес копию письма, посланного Вами главным редакторам 4-х советских и 3-х зарубежных коммунистических газет, с приложением содержания последнего слова Владимира Буковского на суде?[18]
Я хотел бы проанализировать оба этих документа, чтобы разобраться в деле В. Буковского.
По сообщениям западных корреспондентов из Москвы, Вы принимаете сейчас активное участие в подготовке петиции[19], которую собираетесь направить Председателю Совета Министров СССР А. Н. Косыгину с просьбой об освобождении Александра Гинзбурга, Алексея Добровольского, Юрия

---

[17] The author of this letter also wrote no. 58.
[18] See note 1.

34

pass you, as though you were a dunghill, because that's what you are.

In the name of all mothers of disabled children

[5.1.68; signed]
1488358

16

Dear Pavel Michajlovič!

All good wishes for the New Year[17]!
I wish you happiness, health, and success in life!
I have a request to make. Could you please send to my address a copy of the letter you sent to the editors of four Soviet and three foreign Communist papers, together with the gist of Vladimir Bukovskij's last words to the court[18]?
I should like to study both of these documents, in order to understand the Bukovskij case.
According to reports by Western correspondents in Moscow, you are now taking an active part in getting up a petition[19] to be sent to the Chairman of the USSR Council of Ministers, A. N. Kosygin, asking for the release of Alexander Ginzburg, Aleksej Dobrovol'skij, Jurij Galanskov, and Vera Laškova, who have already spent more than a year in prison without trial.

[19] See note 32.

Галанскова и Веры Лашковой, которые уже больше года содержатся в тюрьме без суда.

Не могли бы Вы информировать меня о том, за что были арестованы упомянутые выше молодые люди, в чем их обвиняют, а также выслать мне текст петиции об их освобождении, чтобы я мог составить свое мнение по данному делу?

Если это возможно, просьба послать документы заказным или ценным письмом.

Буду Вам очень признателен, если Вы удовлетворите мою просьбу.

С уважением

Ленинград, 5.1.1968; подпись, адрес]

17

Глубокоуважаемый П. М. Литвинов!

Поздравляем Вас с Новым Годом. Желаем Вам в Новом Году успешно продолжать начатую Вами борьбу за свободу и справедливость. Мы выражаем Вам глубокую благодарность за Вашу смелость и гражданское мужество, которое столь редко в нашей стране. Мы солидарны с Вами. Ваш поступок имеет большое значение в борьбе за права человека и за гуманизацию Советского строя. Мы с глубоким сочувствием и напряженным вниманием следим за Вашей судьбой и судьбой Ваших друзей. Мы уверены, что в конце концов идеалы свободы лич-

Could you tell me what these young people were arrested for and what they are accused of, and also send me the text of the petition for their release, so that I can make up my mind on this matter?

If possible, please send the documents by registered post.

I shall be most grateful if you will do as I ask.

With esteem

[Leningrad, 5.1.68; signature, address]

17

Dear P. M. Litvinov!

All good wishes for the New Year. We hope that you will continue successfully in the New Year the fight you have begun for freedom and justice. We express our deep gratitude for your bravery and civic courage, which is so rare in our country. We are in solidarity with you. Your initiative is of great importance in the fight for the rights of man and for the humanization of the Soviet order. With profound sympathy and close attention we watch what is happening to you and your friends. We are convinced that, in the end, the ideals of freedom of the individual and true democracy will

ности и истинной демократии восторжествуют, и в истории борьбы за них будет и Ваше имя. На Вашей стороне лучшая часть молодой интеллигенции.

С Новым Годом! С глубоким уважением – группа студентов-гуманитариев МГУ

[Москва]

18

К Мировой Общественности

Судебный процесс над Галансковым, Гинзбургом, Добровольским и Лашковой, проходящий сейчас в Московском городском суде, совершается с нарушением важнейших советских правовых норм. Судья и прокурор при участии определенного сорта публики превратили судебные заседания в дикое, немыслимое в двадцатом веке издевательство над тремя подсудимыми (Галансковым, Гинзбургом, Лашковой) и свидетелями.

Дело приняло характер известных 'процессов над ведьмами' уже на второй день, когда Галансков и Гинзбург, несмотря на год предварительного тюремного заключения, несмотря на давление суда, отказались признать возводимые на них голословные обвинения Добровольского, доказывали свою невиновность. Свидетельские показания в пользу Галанскова и Гинзбурга еще больше озлобили суд. Судья и прокурор в течение всего процесса помо-

triumph, and that your name will figure in the history of the struggle. The best part of the young generation of the intelligentsia are on your side.

> Happy New Year! In profound esteem-
> A Group of Humanities Students at
> Moscow University

[Moscow]

18

To World Public Opinion

The trial of Galanskov, Ginzburg, Dobrovol'skij, and Laškova, now taking place in Moscow City Court, is being conducted in violation of the most important standards of Soviet justice. The judge and the prosecutor, with the help of a 'public' of a special sort, have transformed the court proceedings into a savage mockery—which it is unthinkable should occur in the 20th century—of three of the accused (Galanskov, Ginzburg, and Laskova) and of the witnesses.

The trial assumed the character of the notorious 'witch-trials' as early as the second day, when Galanskov and Ginzburg, despite the year they had spent in preliminary detention and despite the pressure of the court, refused to plead guilty to the unsubstantiated charges brought against them by Dobrovol'skij, and tried to prove their innocence. Witnesses' evidence in favour of Galanskov and Ginzburg still further embittered the court.

гают Добровольскому возводить ложные обвинения на Галанскова и Гинзбурга. Адвокатам то и дело не разрешают задавать вопросы, свидетелям не дают давать показания, разоблачающие провокационную роль Добровольского в этом деле.

Судья Миронов ни разу не остановил прокурора – представителя обвинения. Лицам же, представляющим защиту, он позволяет говорить лишь то, что укладывается в заранее намеченную следствием КГБ программу. Когда кто-либо из участников процесса пытается нарушить отрепетированный спектакль, судья кричит: 'Ваш вопрос снят!', 'Это не имеет отношения к делу!', 'Я не разрешаю вам говорить'. Эти крики обращены к подсудимым (кроме Добровольского), к их адвокатам, к свидетелям.

Свидетели выходят из зала после допроса – вернее, их выталкивают – в подавленном состоянии, чуть ли не в истерике.

Свидетельнице Е. Басиловой не дали сделать заявление суду – она хотела рассказать о том, как КГБ преследовал её психически больного мужа, показания которого, данные на следствии в состоянии невменяемости, играют важную роль в обвинительном заключении. Басилову вытолкали из зала суда под окрики судьи и вой публики, заглушавшие её слова.

П. Григоренко подал заявление о том, что он просит допросить его в качсстве свидетеля, так как он может объяснить суду происхождение денег, най-

The judge and the prosecutor have throughout the trial helped Dobrovol'skij to make lying accusations against Galanskov and Ginzburg. They have not allowed counsel to put questions, or witnesses to give evidence, which would expose the *provocateur* role played by Dobrovol'skij in this affair.

Judge Mironov has not once stopped the prosecutor from speaking, but he allows defence counsel to say only what has been laid down in the programme previously worked out in the K.G.B.'s preliminary investigation. When one of the participants in the trial tries to break away from the stage-play as rehearsed, the judge exclaims: 'Question disallowed!', 'This has nothing to do with the case!', 'I refuse to allow you to speak.' These outbursts are directed at the accused (other than Dobrovol'skij), their counsel, and the witnesses.

Witnesses leave the courtroom after giving evidence – or rather, they are thrown out – in a state of depression, if not of hysteria.

The witness E. Basilova was not allowed to make a statement to the court, in which she wanted to tell how the K.G.B. had persecuted her mentally ill husband, whose testimony given at the preliminary investigation, when he was not in a state to answer for his actions, plays an important role in the indictment. Basilova was pushed out of the courtroom to the shouts of the judge and the howls of the public, which drowned her words.

P. Grigorenko has made a statement asking to be heard as a witness because he can explain to the court the

денных у Добровольского (по словам Добровольского, их дал ему Галансков). Заявление Григоренко отклонили под тем предлогом, что он якобы
психически болен (это неправда).

Свидетельнице А. Топешкиной не дали сделать заявление суду – она хотела сообщить факты, обна-
ружившие лживость показаний Добровольского.
Топешкину, беременную женщину, пинками выгна-
ли из зала под улюлюканье публики.

Свидетельницу Л. Кац 'комендант суда' полковник
КГБ Циркуненко не пустил в зал после перерыва,
заявив ей: 'Дали бы вы другие показания – Вам
разрешили бы остаться'.

Никому из свидетелей не разрешают остаться в
зале суда после дачи показаний, хотя советское законодательство даже обязывает их к этому. Ссылки
свидетелей на статью 283 УПК РСФСР[20] пропус-
кались мимо ушей, а свидетелю В. Виноградову
судья прямо сказал: 'Вот по 283 статье и уходите'.
Зал заполнен специально отобранной публикой, сотрудниками КГБ, дружинниками[21], создающими
видимость открытого, гласного судопроизводства.

[20] Article 283 of the Code of Criminal Procedure of the RSFSR
states: Допрошенные свидетели остаются в зале заседания и
не могут удаляться до окончания судебного следствия без
разрешения суда. Председательствующий может разрешить
допрошенным свидетелям удалиться из зала ранее окончания судебного следствия не иначе, как по заслушании мнений
обвинителя, подсудимого, защитника, а также потерпевшего
гражданского лица, гражданского ответчика и их представителей.

source of the money found on Dobrovol'skij, which the latter claims was given him by Galanskov. Grigorenko's statement was dismissed on the pretext that he is mentally ill (which is not true).

The witness A. Topeškina was not allowed to make a statement to the court in which she wanted to communicate facts revealing the falsity of Dobrovol'skij's evidence. Topeškina, who is pregnant, was literally kicked out of the courtroom while the public booed her. The witness L. Kac was refused re-entry to the courtroom, after the break, by the 'court commandant', K.G.B. Colonel Cirkunenko, who told her: 'If you had given different evidence we should have let you stay.' None of the witnesses was allowed to remain in the courtroom after giving evidence, though Soviet law actually obliges them to remain there. Appeals by witnesses to Article 283 of the R.S.F.S.R. Code of Criminal Procedure[20] were ignored, and to the witness V. Vinogradov the judge said straight out: 'Right you are, under Article 283, get out.'

The courtroom was filled with a specially selected public, made up of K.G.B. officials and *družinniki*[21],

(Witnesses who have been interrogated shall remain in the courtroom and may not withdraw before the completion of the judicial investigation without the permission of the court. The person presiding may allow witnesses who have been interrogated to withdraw from the courtroom earlier than the completion of the judicial investigation only upon hearing the opinions of the accuser, prisoner, and defence counsel as well as of the victim, civil plaintiff, civil defendant, and their representatives.)
[21] Members of a corps of young volunteer police assistants.

Эта публика шумит, гогочет, оскорбляет подсудимых, оскорбляет свидетелей. Судья Миронов не пытается прекратить нарушения порядка. Ни один из бесчинствующих нарушителей не удален из зала. В этой накаленной атмосфере не может быть и речи ни о какой объективности суда, ни о какой справедливости и законности. Обвинительный приговор предрешен с самого начала.

Мы обращаемся к мировой общественности и в первую очередь – к советской. Мы обращаемся ко всем, в ком жива совесть и достаточно смелости.

Требуйте публичного осуждения этого позорного процесса и наказания виновных.

Требуйте освобождения подсудимых из-под стражи.

Требуйте повторного разбирательства с соблюдением всех правовых норм и в присутствии международных наблюдателей.

Граждане нашей страны! Этот процесс – пятно на чести нашего государства и на совести каждого из нас. Вы сами избирали этот суд, этих судей – требуйте лишения их полномочий, которыми они злоупотребили. Сегодня в опасности не только судьба трех подсудимых – процесс над ними ничуть не лучше знаменитых процессов тридцатых годов, обернувшихся для нас всех таким позором и такой кровью, что мы от этого до сих пор не можем очнуться.

Мы передаем это обращение в западную прогрессивную печать и просим как можно скорее опубликовать его и передать по радио – мы не обращаемся

44

so as to create the impression of an open, public hearing. This public noisily laughs at and humiliates the accused and the witnesses. Judge Mironov makes no attempt to stop these violations of order. Not a single one of these outrageous interrupters has been excluded from the courtroom.

In this strained atmosphere there can be no question of any objectivity of the court, or of any sort of justice or legality. A verdict of guilty has been decided on from the start.

We appeal to world public opinion, and in the first place to Soviet public opinion. We appeal to all in whom conscience is not dead and who are sufficiently courageous.

Demand a public condemnation of this shameful trial and the punishment of those responsible.

Demand the release of the accused from custody.

Demand a fresh investigation, to be carried out in accordance with all legal standards and in the presence of international observers.

Citizens of our country! This trial is a blot on the honour of our state and on the conscience of each one of us. You elected this court, these judges – demand their dismissal from the offices which they have abused. In danger today are not only the destinies of the three accused – their trial is not a jot better than the notorious trials of the 1930's, which brought upon us all so much shame and so much blood that to this day we have not been able to recover from them.

We are giving this appeal to the Western progressive

с этой просьбой в советские газеты, так как это безнадежно.[22]

11 января 1968 г.

Лариса Богораз
Москва В-261, Ленинский проспект, 85, кв. 3
Павел Литвинов
Москва К-1, ул. Алексея Толстого, 8, кв. 78

19

Как Вы могли докатиться до такой пакости? Как только наша земля может носить таких выродков? Вы оскорбляете наш народ, нашу Партию, наши защитные органы. Таким ублюдкам нет пощады!!

[Воронеж, 12.1.67; подпись, адрес]

20

Дорогой Павел Михайлович!

Я обращаюсь к Вам столь близко потому, что Вы теперь стали самым близким человеком для всех честных людей в нашей стране. Письмо, которое

[22] Copies of this declaration were distributed by Mr. Litvinov

press and asking that it be published and broadcast as soon as possible. We are not appealing to the Soviet press, since this is hopeless.[22]

11 January 1968

> Larisa Bogoraz
> Apt. 3, No. 85, Lenin Avenue
> Moscow V-261
> Pavel Litvinov
> Flat 78, No. 8, Aleksej Tolstoj Street
> Moscow K-1

19

How could you descend to such obscenity? How can our country tolerate such degenerates? You insult our people, our Party, our defence organs. No mercy for such curs!!

[Voronež, 12.1.68; signature, address]

20

My dear Pavel Michajlovič!

I address you so intimately because you have now become the person who is closest to the hearts of all honourable people in our country. The letter which

among Western correspondents outside the courtroom on Friday morning, January 12, 1968.

Вы вместе с Л. Даниэль написали как обращение ко всему прогрессивному человечеству Запада, а заодно и к нам – свидетельство огромной воли и величайшего достоинства.

Сегодня 12.1 оно было передано по радиостанции Би-Би-Си и его слушал весь мир с затаенным дыханием... Я как и очень-очень многие преклоняюсь перед Вашими поступками, перед Вашей человечностью во имя защиты обездоленных в лице новой пятерки[23] Северной Звезды, вспыхнувшей на русском небосклоне как и почти 125 лет тому назад! У шестого отказало мужество, но и его строго судить нельзя.

Да, действительно, Ваш славный дед не упрекнул бы Вас, своего достойного внука! Это Вам говорит коммунист, которому небезразличны судьбы наших идей. Я помню речи Вашего деда на заседаниях Лиги Наций. В своих выступлениях он бичевал коричневый фашизм. Но фашизм способен краситься в любые цвета, в любые тоги нарядиться. Вы бросили клич новому фашизму, по-хамельонски перекрасившемуся в наш славный красный цвет! Даже при царском строе не судили писателей.[24] Судят

[23] Presumably the three defendants Ginzburg, Galanskov, and Laškova, together with Sinjavskij and Daniel'. A literary *al'manach* called *Severnaja zvezda* was published in St. Petersburg in 1829 by M. Bestužev-Rjumin. The writer of this letter, however, seems to have in mind either Ryleev's *Poljarnaja zvezda* (1823–1825) or Herzen's *Poljarnaja zvezda* (1855–1869), the latter of which had the profiles of the five executed Decembrists on its masthead. By 'the sixth' the anonymous writer of this letter apparently means Dobrovol'skij.

you and L. Daniel' wrote as an appeal to all progressive mankind in the West, and at the same time to
us, is a proof of tremendous will-power and the
greatest merit. Today, 12 January, it was broadcast by
the BBC and the whole world listened with bated
breath... and many, many people are bowing before
your initiative, your humanity in the name of the
defence of the unfortunate, in the persons of this new
'group of five'[23] of the North Star, blazing out in
Russia's sky as it did almost 125 years ago! The sixth
has lost his nerve, but he cannot be judged too severely.
No, indeed, your glorious grandfather would not
reproach you, his worthy grandson! This is said to
you by a Communist, to whom the fate of our ideas is
not a matter of indifference. I remember your grandfather's speeches at the meetings of the League of
Nations. In them he flayed brown fascism. But fascism
is capable of taking on any colour and dressing up in
any toga. You have hurled a challenge at the new
fascism, which has, chameleon-like, taken on our
glorious colour red! Even under the Tsarist regime they
did not put writers on trial.[24] Such things happen only
where fascist practices flourish.

[24] Not quite correct: in tsarist times several Russian writers
were tried, or at least punished, for things they had written: in
1790 Alexander Radiščev got ten years' banishment to Siberia for
his book *Journey from Petersburg to Moscow*; in 1821 Alexander
Puškin was sent as a civil servant to the South for his ode
'Freedom' and a number of epigrams; Michail Lermontov was
arrested, demoted from *kornet* to *praporščik*, and transferred to
the Caucasus for his poem about Puškin's death; Ivan Turgenev
was arrested and banished to his estate for his obituary of Gogol'.

Continuation on p. 50

только там, где процветают фашистские порядочки.

Мы, простые люди, давно уже спрашиваем себя: 'Как мы прозевали Советскую власть, в чьи руки она попала?!'

Ваш пример – это новая 'искра', с которой несомненно опять 'разгорится пламя'![25]

Конечно, теперь очень тяжелые условия борьбы. Слишком разобщен народ. Но все начинается с малого. Тяжело начинать.

Но теперешнее время хорошо другим – слишком быстро летит весть. И вот сегодня эта весть в мгновенье облетела весь мир и в том числе нашу страну.

Каждый, кому дорога свобода и справедливость сегодня наконец, торжествующе улыбнулся, загорелся гордостью за таких людей как Вы.

Каждый из нас представляет, как Вам теперь тяжело и что Вам грозит. Но каменные лбы не посмеют Вас тронуть. Крепкий орешек Вы для них и слишком большая огласка!

Мужайтесь, Павел Михайлович перед большими испытаниями для Вас. Но Вы не одни! В стране найдутся здоровые люди повести Ваше дело вперед!

However, neither under the tsars, nor under Lenin and Stalin a Russian writer had ever actually *stood trial* for what he had written. This happened for the first time in Russian history in the case of Sinjavskij and Daniel' in 1966.

[25] In 1827 Alexander Puškin wrote and sent to Siberia a poem called В Сибирь (To Siberia), the first stanza of which reads Во глубине сибирских руд / Храните гордое терпенье. / Не пропадет ваш скорбный труд / И дум высокое стремленье.

We ordinary people have long been asking ourselves: 'How did we let Soviet power slip through our hands, and into whose hands has it fallen?'

Your example is a new 'spark' which will undoubtedly once more 'kindle a flame'.[25]

Now, of course, conditions for a struggle are very difficult. The people are too disunited. But everything begins with something small. It is hard to make a start.

But the present time is better in another way – news travels very fast. Today this news has flown in an instant all round the world, including our country. Today everyone to whom freedom and justice are dear at last smiled in exultation, and burned with pride for people like you.

Every one of us realizes how difficult things must be for you now and what dangers threaten you. But the stony-brows won't dare touch you. You are a hard nut for them to crack, and there would be too much publicity!

Take heart, Pavel Michajlovič, before the great trials that face you. But you are not alone! Able people will be found in our country to carry your cause onward.

(In the depths of the Siberian mines / Keep proud patience. / Your mournful work will not be in vain / Nor the high strife of your thoughts.) A Decembrist poet, Alexander Odoevskij, wrote a famous *Answer of the Decembrists to Puškin*, which contains the lines Наш скорбный труд не пропадет: / Из искры возгорится пламя. (Our mournful work will not be in vain: / From the spark a flame will be kindled.) This last line was taken by Lenin as a motto for his periodical *Искра* (The Spark, 1900–1903).

Уж больно надоели многим аракчеевские порядочки.[26]

Пламенный привет Вашим товарищам и мое восхищение всей Вашей семье!

Извините, что подписаться не могу. Не уверен в нашей демократии даже по части пересылки писем. Думаю, что не осудите меня.

[Москва, 12.1.68]

21

Подлецу –

потерявшему остатки совести – прослушав Ваше 'обращение' могу только одно сказать, что Вы *подлец*, что Вы позорите имя своего знаменитого деда. Вам, защитнику этих подонков общества типа Синявского и Даниэля, нет больше места в нашей стране.

Я, старый человек, беспартийная русская женщина плюю Вам в лицо за Ваше предательство, за Ваше лизоблюдство перед продажной капиталистической прессой, Вам хорошо заплатят за Ваше 'обращение'. Есть хорошая пословица: Ах ты гадина, сколько тебе дадено?

[Москва, 13.1.68; подпись]

[26] Aleksej Andreevič count Arakčeev (1769–1834) was from 1817 to 1825 in charge of the so-called *voennye poselenija*

Many have had more than enough of these Arakčeev[26]
methods.

A warm greeting to your comrades and my admiration
to all your family!

Forgive me for not being able to sign my name, I have
no confidence in our democracy even in postal matters.
I think you won't blame me.

[Moscow, 12.1.68]

21

To a scoundrel –

who has lost all traces of conscience – after hearing
your 'appeal' I can only say one thing, that you are a
scoundrel, that you disgrace the name of your famous
grandfather. For you, the defender of scum of socicty
like Sinjavskij and Daniel', there is no further place in
our country.

I, an old person, a non-Party Russian woman, spit in
your face for your treason and your lickspittle attitude
to the venal capitalist press, they will pay you well for
your 'appeal'. There is a good saying: Oh, you low
snake, how much did you make?

[Moscow, 13.1.68; signed]

(military colonies) and was hated for his cruel and tyrannic
behaviour.

22

Уважаемый Павел Литвинов.

Не имея надежного источника информации, обращаемся к Вам с целью узнать подробности о судебных процессах:

1. Синявского и Даниэля[27] (До судебного процесса нам о них ничего не было известно.)

2. О демонстрации протеста, организованной Буковским и о суде над самим Буковским.[28]

3. О процессе издателей журнала 'Феникс-66'.[29]

Имея единственным источником информации 'Голос Америки', 'Би-Би-Си' и 'Немецкую волну', мы вправе относиться к ним с некоторым недоверием. Тем более, что в нашей печати, кроме кратких заметок, опровергнутых западной прессой, ничего не сообщалось об этих процессах. Мы вправе знать подробности, хотим знать факты, чтобы разобраться самим. До сих пор ничего подобного не происходило и мы не задумывались над этими вопросами, поднятыми перед нами временем и вашими друзьями. Благодаря 'Г.А.' мы имели возможность слышать и слушали запись Вашего разговора с сотрудником КГБ Гостевым[30] и возмущены не менее

---

[27] See Introduction. See also *On trial. The case of Sinyavsky (Tertz) and Daniel (Arzhak)*. Documents edited by Leopold Labedz and Max Hayward. London: Collins and Harvill Press, 1967.

[28] See Introduction. See also *Дело о демонстрации на Пушкинской площади 22 января 1967 года*. Сборник документов под

22

Dear Pavel Litvinov.

As we have no reliable source of information, we are writing to you to obtain details about
1. The trial of Sinjavskij and Daniel'.[27] (Before the trial we had never heard of them.)
2. The protest demonstration organized by Bukovskij, and the trial of Bukovskij.[28]
3. The trial of the publishers of the periodical *Phoenix 66*.[29]
Our only sources of information are the 'Voice of America', the BBC, and the German Wave, and we regard these, quite rightly, with some distrust – all the more so because in our own press, apart from brief notes refuted by the Western press, nothing has been reported about these trials. We have a right to know the details, and we want to learn the facts, so as to make up our own minds. Nothing like this has ever happened before, and we have not known what to think about the questions raised by time and your friends. Thanks to the 'Voice of America' we have been able to listen to the record of your interview with the KGB official Gostev[30], and we are no less indignant

редакцией Павла Литвинова. Overseas Publications Interchange, Ltd. London 1968.
[29] I.e., the trial against Ginzburg, Galanskov, Dobrovol'skij, and Laškova: The typewritten literary collection 'Feniks 66' was edited and published by Galanskov.
[30] See document no. 1.

Вас давлением, оказываемым государственной машиной на личность, свободу мнений. Далее, слушали выдержки из защитительной речи Буковского, знаем, что он не признал себя виновным по предъявленному обвинению. Потому хотим знать Ваше личное мнение о перечисленных процессах, подкрепленное достоверными фактами.

Последний же процесс над издателями журнала 'Феникс-66' действительно заставляет сомневаться в официальной версии советской печати, а именно: в связи с НТС.[31] Не вполне ясна роль Добровольского как свидетеля обвинения.

Показания Добровольского против остальных обвиняемых и весь ход судебного разбирательства заслуживает осуждения.

Имена таких уважаемых нами людей как Б. Ахмадулина, В. Аксенов и других представителей интеллигенции, подписавших петицию протеста[32], не пустой звук для нас, заставляют отнестись со всей серьезностью к происходящему в Москве.

Мы уверены в том, что Вы не сможете отказать нам в законном желании знать правду.

П.С. Вечером 'Г.А.' передал текст петиции. 'К

[31] *Narodno-trudovoj sojuz* (People's Labour Union), an organisation of Russian emigrants, with headquarters in Frankfort o.M. It publishes, among others, the newspaper *Posev* and the literary magazine *Grani*.
[32] On Sunday, January 7, 1968, a group of thirty-one writers, artists, and scientists sent a letter to the Moscow City Court, with copies to Brežnev, Kosygin, and Podgornyj, asking for

than you at the pressure brought to bear by the state machine on the individual and his freedom of opinion. We have also heard excerpts from Bukovskij's speech in his own defence, and we know he did not plead guilty to the charge against him. For this reason we should like to know your personal opinion on the trials we have mentioned, together with reliable facts in support.

The last-mentioned trial, that of the publishers of the periodical *Phoenix 66*, really makes one doubt the official version given in the Soviet press, particularly because of the link with the N.T.S.[31] We are not quite clear about the role played by Dobrovol'skij as witness for the prosecution.

Dobrovol'skij's testimony against the other accused, and the whole course of the court examination calls for blame. The names of such people, whom we respect, as B. Achmadulina, V. Aksenov, and other representatives of the intelligentsia who have signed the petition of protest,[32] are no hollow sound to us, but force us to examine with the greatest seriousness what has been happening in Moscow.

We are confident that you cannot decline to help us in our legitimate desire to find out the truth.

'full public ventilation' of the proceedings and 'impartiality in the choice of witnesses and wide reporting of the trial in the press.' Among the signers of this letter were novelist Vasilij Aksenov, poet Bella Achmadulina, the painters Boris Birger and Vladimir Vejsberg, and the mathematicians Izrail Gel'fand and Igor' Šafarevič.

международному общественному мнению': Мы
протестуем вместе с Вами и требуем наказания виновных и пересмотра приговоров всем осужденным.

[Агадырь, Казахстан, 13.1.68; подпись, адрес]

23

Уважаемый Павел Михайлович!

Спасибо Вам и Ларисе Даниэль за смелое и честное
письмо. Мы возмущены процессом до глубины
души и понимаем, к чему может привести всеобщее
молчание и равнодушие. Мы прозрели два года
назад, когда были наказаны Синявский и Даниэль,
мы поняли вопиющую несправедливость наших
органов власти и жестокость отдельных личностей,
посмевших попрать писательские и человеческие
права людей.
Наши деды и отцы были расстреляны, умирали в
лагерях, знали все ужасы сталинской реакции. Мы
представляем себе, как страшно жить, когда вокруг
молчание и страх. Поэтому мыслящее поколение
60-х годов призывает всех честных людей поддержать двух смельчаков и подписаться под Вашим
письмом. Тот, кто смолчит, совершит преступление
перед совестью и перед Россией. А она платит за
это дорогой ценой: кровью своих умнейших и та-

P.S. This evening the 'Voice of America' broadcast the text of the petition: 'To world public opinion'. We protest along with you and demand that the guilty be punished and the sentences on those who have been condemned be reconsidered.

[Agadyr', Kazachstan, 13.1.68; signature, address]

23

Dear Pavel Michajlovič!

We are grateful to you and to Larisa Daniel' for your brave and honourable letter. From the depths of our hearts we are indignant about this trial and we realize what the general silence and indifference can lead to. We began to see clearly two years ago, when Sinjavskij and Daniel' were sentenced; we understood the scandalous injustice committed by our organs of power and the cruelty of certain individuals who dared to trample upon people's freedom as writers, and upon their human rights.

Our grandfathers and fathers were shot, died in camps, knew all the horrors of the Stalinist reaction. We realize how fearful it is to live surrounded by silence and fear. For this reason the thinking young people of the 1960s call upon all honourable men to rally round you bold spirits and sign your letter. Whoever remains silent commits a crime against conscience and against Russia. And Russia pays a high price for this: the

лантливейших людей – от Осипа Мандельштама и до Александра Гинзбурга. Мы за то, чтобы печатали стихи Бродского, повести Ремизова и Замятина, поэзию позднего Мандельштама, прозу Пастернака[33]. Мы за то, чтобы были освобождены Синявский и Даниэль, за то, чтобы международный трибунал рассмотрел дело 4-х писателей в соответствии с международным правом, за суровое наказание судей, поправших нормы социалистической законности. Мы презираем подлого, гадливого Добровольского, которому нет имени, кроме Смердякова[34]. Нам, только вступающим в жизнь, уже надоела фальш и обман – мы хотим правды и справедливости.

Только сплотившись, мы сможем добиться чего-то, иначе будет хуже: террор, реакция, невинные жертвы. А мы ответственны за все, что происходит в мире – ведь этому нас учит наша литература, ее лучшие произведения. И мы не можем смириться с узколобой трактовкой Толстого, Чехова, Куприна, Блока, с исключением из программы Достоевского, Бунина, Цветаевой, Пастернака и др. Наша школа воспитала себе верных охранников – тупых

[33] No book of poetry by Osip Mandel'štam (1891–1938), who died in a Soviet concentration camp, has been published in the USSR since 1928. A volume of his poetry was announced in the series *Biblioteka poeta*, but had not yet been published as this volume went to press. Aleksej Remizov (1877–1957) has not been published in Russia since 1923; Evgenij Zamjatin (1884–1937), not since he left his country in 1932. In 1964 the poet Iosif

blood of our most intelligent and talented people, from Osip Mandel'štam to Alexander Ginzburg. We are for publishing the verses of Brodskij, the stories of Remizov and Zamjatin, the late poems of Mandel'štam, the prose of Pasternak.[33] We are for the release of Sinjavskij and Daniel', for an international tribunal to investigate the case of the four writers in the light of international law, for severe punishment of the judges who have violated the standards of socialist legality. We despise the base, disgusting Dobrovol'skij, who can only be called a Smerdjakov.[34] We, who are on the threshold of life, have already had enough of falsehood and deception – we want truth and justice.

Only if we close our ranks can we achieve something, otherwise things will get worse: terror, reaction, innocent victims. And we are answerable for everything that happens in the world – we have been taught this by the finest works of our literature. And we cannot tolerate the narrow-minded treatment of Tolstoj, Čechov, Kuprin, and Blok, and the exclusion from the syllabus of Dostoevskij, Bunin, Cvetaeva, Pasternak, and others. Our schools have turned out reliable police-agents – stupid products of cramming who have

Brodskij (born 1940) was banished from Leningrad for 'vagrancy'. His work has never been published in the USSR, but a volume of English ballads has been announced which presumably will include some of his Donne translations. No prose fiction of Boris Pasternak (1890–1960) has been published in the USSR since 1933.

[34] An odious character in Dostoevskij's *Brothers Karamazov*.

зубрил, выучивших историю партии и основы ист-
мата. Мы не можем молчать, когда вокруг – де-
магогия, газетная ложь, предательство. Нам только
жаль своих родителей. Мы просим передать это
письмо, чтобы его услышали наши сверстники и
наши единомышленники, чтобы судьбы писателей
были решены справедливо.

Мы надеемся, что несмотря ни на что, мы не одиноки, что мы услышим голоса честных людей.

Группа школьников (24 человека)

[Москва, 13.1.68; подписи, адрес]

24

Глубокоуважаемый Павел Михайлович!

Я считаю своим гражданским долгом откликнуть-
ся на Ваше обращение к гражданам нашей страны.
Но кроме желания и готовности принять участие в
борьбе с беззаконием, ничего нет.
Как оформлять протест? Кому адресовать? На
какие материалы ссылаться, говоря о данном процессе? Ведь для нас, рядовых граждан Сов. Союза,
не проживающих в Москве, только два источника:
'информация' Вечерней Москвы[35] и зарубежные
радиопередачи. О первом Вы очень красноречиво

[35] At that time the only news printed in Russia about the trial was
the following statement in *Вечерняя Москва* (Evening Moscow)

62

got by heart the history of the Party and the foundations of historical materialism. We cannot stay silent when all around are demagogy, newspaper lies, betrayal. We feel only pity for our parents. We ask you to pass this letter on, so that it may become known to young people of our age-group and all who think like us, so that the writers' fate may be settled in accordance with justice.

We hope that in spite of everything we are not alone, that we shall hear the voices of honest people.

A group of schoolboys (24)

[Moscow 13.1.68; signatures, address]

24

Dear Pavel Michajlovič!

I regard it as my civic duty to respond to your appeal to citizens of our country. But apart from my desire and readiness to join in the struggle against lawlessness, there is nothing I can do.

How can one formulate a protest? To whom can one send it? To what evidence can one refer when talking about this trial? For us rank-and-file citizens of the Soviet Union who do not live in Moscow, there are only two sources: the 'information' supplied by *Večernjaja Moskva*[35], and foreign broadcasts. About

of January 13, 1968, under the headline *В Московском городском суде:* С 8 по 12 января с.г. в Московском городском

Continuation on page 64

сказали в разговоре с Гостевым, дошедшем до нас и вызвавшем чувство глубокого уважения к Вам. А второй источник как можно использовать? Буду очень признательна Вам, если Вы сочтете возможным ответить мне.

[Ленинград, 14.1.68; подпись, адрес]

25

We, a group of friends representing no organisation, support your statement, admire your courage, think of you and will help in any way possible. Cecil Day-Lewis, Yehudi Menuhin, W. H. Auden, Henry Moore, Stephen Spender, A. J. Ayer, Bertrand Russell, Julian Huxley, Mary McCarthy, J. B. Priestley, Jaquetta Hawkes, Paul Scofield, Mrs George Orwell, Igor Stravinsky.[36]

[London, 14.1.68]

суде слушалось дело Гинзбурга А. И., Галанского Ю. Т., Добровольского А. А. и Лашковой В. И., привлеченных к ответственности по ст. 70 УК РСФСР.
Суд на основании показаний свидетелей и подсудимых, а также вещественных доказательств установил виновность названных лиц в преступной связи с зарубежной антисоветской организацией.
Суд приговорил: Галанскова Ю. Т. – к 7 годам лишения свободы, Гинзбурга А. И. – к 5 годам лишения свободы, Добровольского А. А. – к 2 годам лишения свободы, Лашкову В. И. – к 1 году лишения свободы. (At the Moscow City Court: From January 8 through 12 of this year the Moscow City Court heard the case against A. I. Ginzburg, Ju. T. Galanskov,

the former you spoke very eloquently in your talk with Gostev, which has reached us and inspired a feeling of profound respect for you. And how can one make use of the latter source?

I shall be very grateful if you can give me an answer.

[Leningrad, 14.1.68; signature, address]

25 [In English]

We, a group of friends representing no organisation, support your statement, admire your courage, think of you and will help in any way possible. Cecil Day-Lewis, Yehudi Menuhin, W. H. Auden, Henry Moore, Stephen Spender, A. J. Ayer, Bertrand Russell, Julian Huxley, Mary McCarthy, J. B. Priestley, Jaquetta Hawkes, Paul Scofield, Mrs George Orwell, Igor Stravinsky.[36]

[London, 14.1.68]

A. A. Dobrovol'skij, and V. I. Laškova, indicted under art. 70 of the Criminal Code of the RSFSR.
On the evidence of statements by witnesses and by the defendants and also on the basis of material proof, the Court found the persons mentioned guilty of criminal contact with a foreign anti-Soviet organization.
The Court sentenced Yu. T. Galanskov to 7 years deprivation of freedom, A. I. Ginzburg to 5 years deprivation of freedom, V. A. Dobrovol'skij to 2 years deprivation of freedom, A. I. Laškova to 1 year deprivation of freedom.
[36] This telegram did not reach Litvinov. It became known in Russia via Russian broadcasts by Western radio stations. The text here given is that of the *International Herald Tribune* of January 15, 1968.

26

Уважаемый т. Литвинов!

Я слышал мельком, что Вы протестуете по делу процесса Галанскова, Гинзбурга, Добровольского, Лашковой.

Мне непонятно, в чем дело, ведь в уголовном кодексе есть статья за антисоветские действия. Они, кажется, осуждены за это.

Не можете ли Вы подробней осветить Ваш протест.

Всего доброго

[Могилев, 14.1.68; подпись, адрес]

27

приветствую признателен полностью поддерживаем

[Ленинград, 14.1.68; подпись]

28

Все порядочные люди с Вами.

[Рига, 15.1.68]

29

Уважаемый товарищ Литвинов!

Солидарен с вами по вопросу об организации открытых судебных процессов над осужденными со-

26

Dear Comrade Litvinov!

I heard in passing that you have protested about the trial of Galanskov, Ginzburg, Dobrovol'skij, and Laškova.
I don't understand what the problem is – after all, there is in the Criminal Code an article about anti-Soviet activity, and they were presumably condemned under that article.
Could you please explain in detail the reason for your protest.

All the best

[Mogilev, 14.1.68; signature, address]

27

greetings grateful fully support

[Leningrad, 14.1.68; signed]

28

All decent people are with you.

[Riga, 15.1.68]

29

Dear Comrade Litvinov!

I am with you on the question of the holding of open trials in order to judge the condemned Soviet writers.

ветскими писателями. Кроме этого я требую:

1) Публикации без тенденциозных цензурных сокращений всех произведений, послуживших причиной ареста, ибо народ пребывает в неведении относительно истинного их содержания. Тенденциозные же извлечения, появившиеся в газетных статьях о Синявском и Даниэле, лишь вводят в заблуждение и ни в коей мере заменить произведений не могут;

2) При проведении первичных или повторных открытых судебных процессов над писателями широко использовать печать и современные средства звуко- и видеозаписи в целях создания телевизионных и кинофильмов и организации радио- и телепередач для того, чтобы самые широкие слои населения смогли ознакомиться с процессами;

3) Строгого наказания виновных в нарушении советских законов.

Пишу вам это письмо с надеждой на то, что оно поможет вам в вашей нелегкой борьбе за справедливость.

[...], матрос.

[Одесса, 15.1.68; подпись, адрес]

30

поздравляем защитой диссертации вас и коллегу восхищены смелостью изысканий оппоненты побеждены

группа 20 студентов

[Ленинград, 15.1.68]

In addition I demand:

1. Publication without tendentious abridgements by the censorship of all the works which formed the basis of the charge, because the people do not know the truth about what they contain. The tendentious extracts given in newspaper articles about Sinjavskij and Daniel' merely confuse and are no subtitute for the works themselves;

2. When open trials of writers are held, whether for the first time or on appeal, wide use should be made of the press and of the latest means of audio-visual recording so as to make films for television and the cinema and organize radio and TV broadcasts, in order that the widest circles of the population may know what happens at these trials;

3. Severe punishment of those guilty of violating Soviet laws.

I am writing this letter in the hope that it may help you in your difficult struggle for justice.

[...], sailor.

[Odessa, 15.1.68; signature, address]

30

congratulations on defence of thesis you and colleague admire boldness of research opponents routed

group of 20 students

[Leningrad, 15.1.68]

31

Преклоняюсь перед Вашим мужеством и стой-
костью, выражаю сочувствие.
Вспоминаю дни юности – борьбу за свободу.
Мне 73 года.

Пенсионерка-уч[ительница]
[Москва, 15.1.68]

32

восхищен вашим мужеством

[Рига, 16.1.68; подпись]

33

Павлу Максимовичу [37]
Литвинову.
Москва.

Искренне Вас поздравляем мы, молодые польские
граждане и восхищаемся Вашей храбростью в защиту невинных, позорно осужденных русских ин-
теллигентов.
Несмотря на факт что нам, польской молодежи и
всем гражданам закрыто рты, а правосудие не
отличается ни в малейшей степени от советской,

[37] Apparently the writers of this letter thought that Pavel

70

31

I bow to your courage and staunchness, and convey my sympathy.
I remember the days of my youth and the struggle for freedom.
I am 73.

Retired teacher

[Moscow, 15.1.68]

32

admire your courage

[Riga, 16.1.68; signed]

33

To: Pavel Maksimovič[37]
Litvinov.
Moscow.

We, young citizens of Poland, congratulate you and admire your courage in defence of innocent and shamefully condemned Russian intellectuals.
Despite the fact that we young people of Poland, like all our citizens, have to keep our mouths shut, justice here being in no way different from what it is in the Soviet Union, the heads of the régime we hate ap-

Litvinov was the son, and not the grandson, of Maksim Litvinov.

главари ненавистного нам режима хорошо понимают наш молчаливый протест против гнета свободной человеческой мысли.

Передайте наши поздравления всем героическим авторам протеста и убедите их в том, что придет время совместного и общего свержения гнета.

Тогда мы будем судить!

Да здравствует свобода всего человечества!

[Кентшин, 16.1.68; подписи, адрес]

34

Павел Михайлович!

Выражаю Вам и Ларисе Даниэль свое восхищение проявляемым Вами мужеством в борьбе за человеческое достоинство и справедливость и присоединяю свой голос протеста к Вашему.

Понимающих и поддерживающих Вас в сотни раз больше, чем приславших Вам письма с выражением своей поддержки.

С искренним уважением к Вам

[Москва, 17.1.68; инициалы]

35

я восхищен поддерживаю вас

сергей

[Пенза, 18.1.68]

preciate very well our silent protest against the oppression of free human thought.

Convey our congratulations to all the heroic authors of the protest and assure them that the time will come for a united and general overthrow of oppression.

Then we will be the judges!

Long live freedom for all mankind!

[Kętrzyn, 16.1.68; signatures, address]

34

Pavel Michajlovič!

Let me express my admiration to you and Larisa Daniel' for the courage you have shown in the fight for human dignity and justice, and join my voice with yours in your protest.

Those who understand and support you are a hundred times more numerous than those who have sent you letters of support.

Sincerely

[Moscow, 17.1.68; initials]

35

admire and support you

sergej

[Penza, 18.1.68]

36

Литвинову П.

Зачем, жидовское [38] отродье, позоришь своего деда?
Если тебе здесь в такой прекрасной стране не нра-
вится, то катись на хуй отсюда, сволочь порхатая!
В Израиль тебя примут с удовольствием – туда уже
много таких уехало! Нет у тебя ни чести ни совести.
Где ты найдешь добрее и богаче душой, чем совет-
ский человек, который терпит такую паскуду, как
вы порхатое отребье?
Прав был Сталин!
Сука ты, блядь продажная!

[Москва, 18.1.68]

37

Уважаемый т. Литвинов.

Услышал по радио ваше обращение к общественному мнению мира и нашей страны по поводу суда
над четверыми литераторами. Не могу не высказать и своего мнения.
В виду того, что я никакой не ученый, не литератор,
а простой смертный да вдобавок инвалид Отечественной войны II гр., я решил написать просто

---

[38] According to the Nuremberg laws, M. M. Litvinov would

74

36

Litvinov, P.

Jewish[38] spawn, why are you disgracing your grand-father?
If you don't like it here in this splendid country, get to hell out of it, you scum! In Israel they'll welcome you. Many like you have already gone there! You have neither honour nor conscience. Where will you find a better and richer spirit than Soviet man, who puts up with such rabble as you?
Stalin was right!
You are a cur and a whore!

[Moscow, 18.1.68]

37

Dear Comrade Litvinov.

I heard on the radio your appeal to the public opinion of the world and of our country in connexion with the trial of the four writers. I cannot refrain from expressing my own opinion as well.
Since I am not a learned man or a writer, but a mere mortal, and on top of that a disabled serviceman, grade 2, of the Patriotic War, I have decided to write

presumably have been considered a *Volljude*, P. M. Litvinov a *Vierteljude*.

Вам, а не в какую – нибудь иностранную западную радиовещательную организацию, а Вы, если сочтете нужным, передайте ее туда, у Вас есть возможности. Заранее извиняюсь, если что неграмотно напишу. Война не дала учиться, я на семнадцатом году жизни из 8 класса был призван на защиту Родины и вернулся оттуда инвалидом. Ладно, ближе к делу.

В своем обращении Вы обвиняете суд и органы госбезопасности в нарушении судопроизводства и элементарных законов нашего общества. Этот процесс Вы называете заранее разыгранным спектаклем, издевательством над обвиняемыми и т.д. Я с Вами согласен. Бороться с беззаконием должен каждый гражданин, имеющий совесть. Но вот метод борьбы с этим беззаконием, если такое было, Вы избрали, мне кажется не правильный. Почему? Отвечу. Представь себе такую картину: Ваш сосед, бессовестный и наглый, начал избивать Вашу мать. Вы как сын встали на защиту, защитили и по-русски дали сдачи. Прошло немного времени и сосед и его друзья, заметьте уже не один, а с друзьями, начинают харкать и плевать в лицо вашей матери при каждом удобном случае. Вы как сын опять на защиту должны стать, а вы помогаете им, разжигая их злобу. Вот так и в этом случае. Вы помогаете плевать в лицо вашей Родины – Матери. Уже вот больше недели все радиостанции Запада с пеной у рта, с нескрываемой злобой смакуют, да, да, смакуют ваше обращение. По-моему, они в нем очень

just to you, and not to some foreign, Western broadcasting organization, and you, if you think fit, can pass it on, you have the chance. Excuse me if I write ungrammatically. The war prevented me from studying – at the age of 17 I was called from the eighth form to defend the motherland, and I returned disabled. Right, let's get on with it.

In your appeal you accuse the court and the state security organs of violating justice and the elementary laws of our society. You describe the trial as a pre-arranged charade, a mockery of the accused, and so on. I agree with you that every citizen with a conscience must fight against lawlessness. But the method you have chosen for fighting against this lawlessness, if such it was, seems to me wrong. Why? Let me answer. Picture to yourself this situation. Your neighbour, conscienceless and brazen, starts to beat your mother. You, as her son, go to her aid, defend her, and hit back in the true Russian manner. Some time passes, and your neighbour and his friends – not him alone now, but with others, note – start to spit in your mother's face whenever they get the chance. You, as her son, again ought to go to her aid, but instead you help them, stirring up their hatred. That is what is happening in this case. You are helping them to spit in the face of your motherland. For over a week, all the Western radio stations, foaming at the mouth with unconcealed malice, have been smacking their lips, yes, smacking their lips over your appeal. In my opinion they have added a lot of things of their own.

много добавили от себя. Я никогда, да и не только я, а и многие другие, не поверят, чтоб беременную Топешкину после дачи свидетельских показаний пинками вытолкали из зала суда. Вы этого не могли написать. Это они от себя добавили. Всему миру известно, что этого не может быть. А вот на Западе там (это я услышал вчера из Лондона), в Лондоне и во всей Англии женщины за одинаковый труд получают почти наполовину меньше мужчины. Это их собственные слова, журналистки–женщины. Радиостанция ФРГ и Свобода взахлеб восхваляют Вас с Ларисой Даниэль, осмелившихся просить защиты у Запада.

У кого вы просите защиты? У недобитых под Сталинградом, у тех, на чьей совести лежит гибель тысяч ленинградцев в дни блокады, или у тех, кто сбежал на запад от законного возмездия за убийства украинцев и белорус. Мне довелось лично видеть как после освобождения одного села в Белоруссии жители села вытащили из стога сена переодетых в женское, немецкого начальника полиции этого села и полицая, он был русский. За все их ‘благодеяния’ они не стали ждать правосудия, а сами набрали разных кусков веревки, связали их и повесили, одного на вербе, другого на столбе. Их гнев нельзя было остановить, так же как радость при нашем появлении. Такое может описать только литератор и никак не я.

Теперь эти недобитые фашисты при любом удобном случае харкают на нашу Родину, а Вы им

78

I can never believe, and this is true of others too, that the pregnant woman Topeškina was kicked out of the courtroom after giving her evidence. You can't have written that. They must have added it. The whole world knows that couldn't happen. And there in the West (as I heard yesterday from London), in London and everywhere in Britain women get only about half as much as men for the same work. This was what they themselves said, women journalists. The German and 'Freedom' radio stations praise you and Larisa Daniel' to the skies, for having dared to ask the West to come to your aid.

Who are you asking for help? Those whom we did not finish off at Stalingrad, those who have on their conscience the deaths of thousands of Leningraders during the blockade, or those who fled westward to escape deserved punishment for their murders of Ukrainians and Byelorussians. I happened personally to see how after the liberation of a village in Byelorussia the villagers dragged from a haystack two men dressed as women, the German chief of police of that village and a policeman who was a Russian. For all the 'good deeds' they had done, they were not obliged to wait for a trial, the villagers themselves found some pieces of rope and bound those men, and hanged them, one on a willow and the other on a post. The villagers' fury couldn't be stopped, any more than their joy at our arrival. Only a writer could describe such things, not I. Now these Fascists whom we didn't finish off are spitting on our Motherland whenever they get the

помогаете.

Неужели Вам льстит то, что вы стали всему миру известны, а западные историки внесут ваше имя в историю? Если Вы скромны и это вам не льстит, так зачем позволяете употреблять на каждом шагу с Вашим именем 'Внук покойного наркома иностранных дел СССР'. Ведь вы прекрасно понимаете, умней от этого вы не станете, и ведь знаете, что у нас много умных и ученых людей, отцы и деды которых всю жизнь проработали на полях, добывая для нас хлеб.

Западные радиостанции шумят миру: 'В Москве осудили четырех литераторов', а что они за литераторы?, даже машинистку Лашкову причислили к литераторам. И написали ли они вообще что-нибудь доброе, кроме того, что на западе назвали 'Белой книгой'.

Западные вещатели шумят, что в Советском Союзе судят представителей молодой интеллигенции. Это четверо представители, а тысячи интеллигенции и молодежи, поехавшие осваивать целину, строить в Сибири гидростанции это для них не представители? А это не представители молодой интеллигенции? – третьекурсники Воронежского Гос. Университета за лето построили в нашем колхозе детясли и клуб. А сколько у них жизнерадости, сколько скромности, уважения к старшим. Невозможно описать. Про такое на Западе будут молчать. Хотя бы сам сын, а не внук Министра Иностранных дел СССР заговорил об этом. Такое им не сруки, такое

chance, and you are helping them.

Is it possible that you are pleased with yourself because you have become known throughout the world, and Western historians will put your name into history? If you are modest and this doesn't please you, then why allow them to keep on repeating whenever they mention your name, 'grandson of the late People's Commissar for Foreign Affairs of the U.S.S.R.'? After all, you realize very well that you are no cleverer because of that, and you know, too, that we have many clever and learned men whose fathers and grandfathers worked all their lives in the fields, supplying us with bread.

The Western radio stations shout to the world: 'In Moscow they have put four writers on trial', but what sort of writers are they? Even the typist Laškova has been included as a writer. Has she ever written anything good, apart from what in the West they call the 'White Book'?

The Western announcers shout about how in the Soviet Union representatives of the young intelligentsia are being put on trial. These are only four representatives, but the thousands of intellectuals and young people who have gone to develop the virgin lands and build hydro-electric stations in Siberia, are these not representatives in the eyes of the West? And aren't these representatives of the young intelligentsia – some third-year students of Voronež State University spent the summer on our collective farm, setting up a crèche and a club. And how cheerful they were, and how modest, how respectful to old people, I can't describe

не позволяет им плевать в лицо Матери-Родине. А вот такое, что Вы им передали, это для них хлеб. Пишу это только потому, что Вы сами просили выразить свое мнение.

Не подумайте, что я вас собираюсь перевоспитывать. Нет, да может быть я и молод на это, мне 42 года. Мне просто больно и стыдно за Вас, Вы, как говорят западники, молодой ученый. Додумались до такого. Судить о том, что осудили неправильно этих четверых граждан, не берусь. Вашему обращению я тоже не придаю веры, потому что эти же вещатели все время твердили, что Вас в зал суда не пустили. Откуда вы узнали такие подробности. А потом, после того, как Добровольский признал себя виновным и начал давать показания суду, изобличающие других, ему сразу привесили ярлык провокатора, а если бы он не признался, то наверное так и остался литератором. Так вот уважаемый т. Литвинов, повторяю, я с вами согласен в том, что протестовать и бороться с беззаконием нужно, но справедливым путем, не пятная лица Матери-Родины, не ища славы в мире, а таким путем, чтоб от этой борьбы была польза нашему народу и заслуживала бы народной благодарности.

Всего написать не могу, если бы мы говорили, так наверное у нас был бы интересный спор, в котором может быть родилась бы истина.

С уважением к Вам

it. They don't want to say anything about that in the West. Even if the son, and not merely grandson, of the Soviet Minister of Foreign Affairs were to tell them about it. That's not to their purpose, it doesn't help them to spit in the face of our motherland.

What you have given them is nourishment for their hateful activity. I write this only because you asked us to give our opinions.

Don't think that I am going to try and re-educate you. No, I'm probably too young to do that, being 42. I'm only sick and ashamed for you, who are, as the Westerners tell us, a young scientist. I can't tell whether these four citizens were wrongly condemned. But I don't accept what you say about it in your appeal, because the Western announcers themselves kept repeating that you were not allowed into the courtroom. Where could you have found out such details? And then, after Dobrovol'skij had pleaded guilty and begun to testify to the court, exposing the others, they immediately stuck the label *provocateur* on him. If he hadn't pleaded guilty, no doubt he would have remained a *writer*. So there you are, Comrade Litvinov; I repeat that I agree with you that we must protest and fight against lawlessness, but in the right way, not by throwing dirt in the face of our motherland and not by seeking glory throughout the world, but in such a way as may benefit our people and should deserve the people's gratitude.

I can't write everything. If we could have a talk we should probably have an interesting argument, from

[ст. Абрамовка, Воронежская область, 20.1.68; подпись, адрес]

38

Дорогой Павел Михайлович!

Не могу не выразить Вам мое (и не только мое) восхищение Вашей гражданской доблестью и несомненным героизмом.

В мире насилья и лжи (по-казенному – в мире бесчисленных свобод и успехов), где 'масса' самосохранения ради или хозрасчетного патриотизма ради, привыкла молчать, лицемерить и подличать, борьба за законность, правду и коммунистические идеалы, ныне попранные и осмеянные, граничит с самопожертвованием...

Разделяю (и я не один) Ваше негодование попытками продолжить тридцатилетнюю Варфоломеевскую ночь, организованную гением безумия и пистолета[39], на практике успешно загнавшим из сознания людей то представление о коммунизме, на которое осквернители его претендуют в теории.

Видимо, безраздельная власть и единодушная (для одних вынужденная, для других – коммерческая)

[39] Stalin.

84

which the truth might emerge.

Yours respectfully,

[Abramovka Station, Voronež region, 20.1.68; signature, address]

38

Dear Pavel Michajlovič!

I cannot express my admiration (and not only mine) for your civic courage and unchallengeable heroism.
In the world of coercion and lies – or, as it is officially called, the world of boundless freedom and progress – where the 'masses', either for self-preservation or from 'business-accounting patriotism', have the habit of keeping quiet, dissimulating, and cringing, the fight for legality, truth, and Communist ideals, nowadays trampled on and mocked, verges on self-immolation…
I share (and not I alone) your indignation at the attempts to continue the thirty years' Bartholomew's Eve massacre, organized by the genius of madness and the pistol[39], which has in practice succeeded in expelling from people's minds the idea of Communism to which its defilers lay claim in theory.
Evidently, unlimited power and universal lying and hypocrisy (obligatory for some and for others a matter of business) have brought our permanent leaders to such a state that they ignore their own laws and transform Communism into a basis for disgusting

ложь и лицемерие доводят бессменных вождей до такого состояния, при котором им неписаны их собственные законы, и превращают коммунизм в основу крепких анекдотов, разочарования и страха...

Нет, не видно в этом ни коммунизма, ни любви к нему, ни ... Советской власти, давно устраненной в пользу власти партийной.

Спасибо Вам и за то, что Вы своим героическим стремлением к правде, справедливости и законности высоко подняли престиж коммуниста, ибо – правда, справедливость, законность – былой идеал коммунистов, которые, как Ваш дед, не были трусливы в борьбе за это.

С удовольствием выражаю Вам уважение и пожелание бодрости и твердости духа.

[Подольск, 20.1.68; подпись, адрес]

39

Гражданин Литвинов.

Я прослушал ряд передач по радио ‘друзей’ о процессе ‘писателей’ и вашем поведении на нем. Должен выразить вам свое возмущение вами. Вы опозорили имя своего отца или деда (я не знаю точно кем вам приходится наркоминдел М. Литвинов). Это человек о котором я много читал, и материал о котором я собираю наравне с другими матери-

anecdotes, disillusion, and fear...

No, there is no Communism to be seen in this, nor any love for Communism, nor... any Soviet power, which has long since been done away with in favour of Party rule.

I thank you also because your heroic endeavour on behalf of truth, justice, and legality has raised high the prestige of a Communist, for truth, justice, and legality were the ideals of Communists who, like your grand-father, were not cowardly in fighting for them.

It is with pleasure that I express my esteem for you and wish you well-being and firmness of spirit.

[Podol'sk, 20.1.68; signature, address]

39

Citizen Litvinov.

I heard the series of broadcasts on the radio of our 'friends' about the trial of the 'writers' and your conduct at the trial. I must express to you my indig-nation at you. You have disgraced the name of your father, or your grandfather (I don't know exactly how you are related to Foreign Affairs Commissar M. Litvinov). He was a man whom I have read a lot

алами о наших комиссарах. Ваши апелляции к за-границе подлы и пакостны. Единственная наша ошибка, что Синявского и Д. не выставили из страны, а посадили. Нужно было их гнать и тогда они уже пали бы в такую же лету как и 'этот' Тарсис.[40] Не было бы такой возни вокруг них. А всех завозившихся нужно давить, как клопов.
Не доволен политикой – катись к чортовой матери. Работать нужно головой и руками, а не трепаться; нужно больше жесткости, как было раньше, тогда больше порядка, лучше производство. Сейчас много рассуждают и указывают, а дело движется медленно.

[…] – инженер-строитель,
инженер-экономист, 31 год.

П.С. И учти, что я живу среди народа, простых людей, тех кого называют 'работягами', и лучше тебя знаю, что нужно людям.

[…]

[Нарва, 20.1.68; инициалы]

[40] The writer Valerij Tarsis was given permission to leave the

about and about whom I collect information as about our other commissars. Your appeal to foreigners is base and vile. Our only mistake was not to expel Sinjavskij and D. from the country, instead of imprisoning them. They should have been thrown out, and then they would have sunk into the same oblivion as 'that' Tarsis [40]. There wouldn't have been such an uproar about them. All such nuisances must be crushed like bugs.

If you're not satisfied with our policy, go to the devil. What is needed is work, with hand and brain, and not a lot of nonsensical talk; we need more strictness, like we used to have, then there will be more order, better production. Today too many people discuss and say what should and should not be done, and work goes forward too slowly.

> [...] – building engineer and
> engineering economist, 31.

P.S. Take into account that I live among the people, ordinary folk, those who are called the 'plodders', and I know better than you what people need.

[Narva, 20.1.68; initials]

Soviet Union in 1967. He was deprived of his Soviet citizenship and received political asylum in Great Britain.

40

Депутату[41] верховного совета СССР
тов. Литвинов П.

Жалоба протест N° 2797

В условиях разнузданной антисемитской травли, ведущейся в отношении меня руководством завода, на котором я работаю, игнорирование моей просьбы о разрешении выезда из СССР, для воссоединения с моими родственниками, проживающими за пределами СССР, с которой я обратился в правительства СССР и УССР в 2796 заявлениях, поданных за истекшие 38 месяцев, *особенно бесчеловечно*. Даже Гитлер дал возможность всем евреям, которые этого пожелали, покинуть свою страну (см. об этом, например, в советском кинофильме 'Обыкновенный фашизм').

Почему же советские руководители, громогласно ратуя за свободу и демократию и требуя свободы и демократии для граждан других стран, считают возможным граждан своей страны держать 'на цепи', вопреки советским законам и основанному на этих законах заявлению тов. Косыгина в Париже 3-12-1966 г., гласящему: *'Если какие-то семьи хотят встретиться, или хотят уехать из СССР, то им дорога открыта и никакой проблемы здесь не существует'*.[42]

[Ивано-Франковск, 20.1.68; подпись, адрес]

[41] Pavel Litvinov was not, nor is, a member of the Supreme

90

40

To Deputy to the USSR Supreme Soviet
Comrade P. Litvinov.[41]

Complaint-Protest No. 2797

In conditions of unbridled anti-semitic persecution
directed against me by the management of the factory
where I work, the ignoring of my request for permission
to leave the USSR in order to be reunited with my
relations who live outside the country (a request which
I have addressed to the Governments of the USSR and
of the Ukrainian SSR in 2,796 letters which I have sent
during the past 38 months) *is especially inhuman.*
Even Hitler allowed any Jew who wanted to, to leave
his country (see, for instance, the Soviet film: 'Ordinary Fascism').

Why do the Soviet leaders, who declaim loudly about
freedom and democracy and demand it for citizens of
other countries, think they can keep the citizens of their
country, 'on a chain', contrary to Soviet laws and the
declaration based on these laws which Comrade
Kosygin made in Paris on 3 December 1966, when he
said: *'If any family want to be reunited, or want to
leave the USSR, the door is open and there is no problem
here.'*[42]

[Ivano-Frankovsk 20.1.68; signature, address]

Soviet of the USSR.

41

Уважаемый Павел Михайлович!

Разрешите выразить Вам и Л. Даниэль восхищение и благодарность за Ваше мужественное выступление в защиту осужденных – выступление, которое дает мне (и, уверен, многим и многим другим) уверенность в осуществлении высказанной Вами надежды, что рано или поздно в нашей стране восторжествует правосудие и справедливость.

Я сказал 'благодарность', – это требует пояснения. Знакомо ли Вам чувство полнейшего отчаяния, которое испытываешь при виде стены, окружающей тебя, отделяющей от мира, жизни, стены, которая давит тебя, и нет у тебя ничего, чем можно было бы сокрушить ее? Такое состояние испытываю я, видя глухую стену лжи, попрания элементарных человеческих прав на свободу совести и мнений, на свободу их выражения, стену лицемерного молчания и недвусмысленных угроз, стену, подпираемую не авторитетом правды и справедливости, а силой государства, его аппаратом насилия. Биться об стену головой – единственное, что остается: без всякой надежды, с полнейшим сознанием бесполезности этой попытки, которая диктуется лишь голосом совести, говорящей, что это необходимо, что нельзя ничего не делать, что бездействие – хужс,

[42] At a press conference in Paris on December 3, 1966, Kosygin said this – according to *Izvestija*, December 5, 1966, p. 2 – in

41

Dear Pavel Michajlovič!

I have decided to convey to you and L. Daniel' my appreciation and gratitude for your courageous action in defence of the condemned – an action which gives me (and, I'm sure, many, many others) confidence in the realization of the hope expressed by you that sooner or later justice and equity will triumph in our country.

I said 'gratitude', and that calls for explanation. Do you know the feeling of complete despair that you feel when you see a wall around you, shutting you off from the world and from life, a wall that crushes you and that you can do nothing to break down? This is how I feel when I see the blank wall of lies that crushes elementary human rights to freedom of conscience and opinion and freedom of expression, the wall of hypocritical silence and plain threats, the wall that is propped up not by the authority of law and justice, but by the power of the state, its apparatus of coercion. Beating your head against the wall is all that remains: without any hope, in full awareness of the uselessness of this attempt, which is inspired only by the voice of conscience, saying that this must be done, that it is impossible to do nothing, that inaction is worse than a crime, it is baseness, and it is better to break your

answer to a question by a United Press correspondent about Jews wanting to leave the Soviet Union.

чем преступление, это подлость, и лучше разбить себе о стену голову, чем жить с вечным позором примиренности.

Но что тяжелее всего – сознание своего одиночества в этой почти бесполезной, но необходимой попытке, это отнимает последние силы и стена кажется еще более прочной. Вот почему так важен Ваш протест, Ваша борьба – они необходимы для меня, для многих других, они необходимы для всей страны, потому что хоть отчасти снимают с нее пятно позорного процесса и показывают миру, что беззаконие и насилие не находят поддержки и вызывают протест общества, якобы от имени которого был вынесен приговор; Ваш голос доносится до нас и показывает, что мы не одиноки – это придает новые силы. Поэтому-то я и благодарю Вас, благодарю Л. Даниэль и всех тех, кто поддерживает Вас в Вашей борьбе и чьих имен я не знаю.

Я понимаю, что мой голос слаб и не заметен, что он ничего не сможет изменить сам по себе, но я присоединяю его к голосу Вашего протеста, потому что не могу молчать, потому что этого требует моя совесть, просто потому, что 'я не могу иначе'. Посылаю Вам копию моего письма в редакцию газеты 'Известия'. В случае необходимости прошу пользоваться обоими письмами так, как вы сочтете нужным.

Если это возможно, прошу Вас выслать текст Вашего заявления.   С уважением

[Арзамас, 21.1.68; подпись, адрес]

94

head against the wall than to go on living in the eternal shame of reconciling yourself to your lot.

But what is hardest to bear is the awareness of one's isolation in this almost useless but necessary endeavour – this takes away one's last reserves of strength, and the wall seems more solid than ever. This is why your protest and your struggle are so important – they are needed by me, by many others, by the whole country, because they cleanse it, if only to a limited extent, of the stain of that shameful trial and show the world that lawlessness and coercion are not supported but arouse protest in our society, in whose name allegedly the verdict was pronounced; your voice reaches us and shows us that we are not alone, and that gives us new strength. This is why I am grateful to you, to L. Daniel', and to all who support you in your struggle and whose names are unknown to me.

I realize that my voice is feeble and will not be noticed, that it can change nothing by itself, but I join it to the voice of your protest, because I cannot remain silent, because my conscience demands it, simply because 'I can do no other'.

I am sending you a copy of my letter to the editor of the newspaper *Izvestija*. If you need to, please use both letters in any way you wish.

If possible, please send me the text of your appeal.

Yours,

[Arzamas, 21.1.68; signature, address]

42

Главному редактору газеты 'Известия'

В N° 12 Вашей газеты от 16.1.1968 опубликована статья Т. Александрова и В. Константинова 'Затянутые одним поясом'. Статья эта не может не вызвать возмущения, как не может не вызвать протеста и фарс суда над А. Гинзбургом, Ю. Галансковым, А. Добровольским и В. Лашковой, о котором идет речь в статье.

Статья 'Затянутые одним поясом' возмутительна во всех отношениях. Во-первых, она совершенно безнравственна, ибо ставит своей целью очернить публично людей, которые не могут выступить в свою защиту; авторы статьи прибегают к бесчестному и подлому приему, стремясь представить подсудимых в самом отталкивающем виде: 'мошенники', 'уголовники', 'разложившиеся люди' и т.д. Кто дал право Т. Александрову и В. Константинову поступать подобным образом? 'О своих биографиях они (подсудимые) предпочитают помалкивать', – пишут авторы. Но судят – вернее, должны судить – не за биографии, а за преступные действия. Подобные приемы очерничельства никак не подходят советской газете, это – приемы бульварной прессы, и не могут не возмущать.

Во-вторых, статья поражает абсолютной бездоказательностью своих утверждений. *Ни одного* довода, факта, показания, подтверждающего *хоть одно* заявление авторов, нет в статье. Оставим на совести

42

To the Editor-in-Chief of *Izvestija*

In No. 12 of your newspaper, dated 16.1.68, you published an article by T. Aleksandrov and V. Konstantinov entitled 'With a single belt around them'. This article cannot but arouse indignant protest, like the farce of a trial that was given to A. Ginzburg, Ju. Galanskov, A. Dobrovol'skij, and V. Laškova, which is the subject of the article.

The latter is scandalous in every respect. In the first place it is completely immoral, since its purpose is to blacken publicly the names of persons who cannot defend themselves; the authors resort to dishonest and base methods, trying to depict the accused in the most repulsive manner, calling them 'swindlers', 'criminals', 'corrupt people', and so on. Who gave T. Aleksandrov and V. Konstantinov the right to act in this way? 'They (the accused) prefer to keep quiet about their life stories', they write. But what is being judged is not, or rather should not be, life stories but criminal actions. Such methods of blackening an accused person's name are utterly out of place in a Soviet newspaper; they are the methods of the yellow press, and cannot but arouse indignation.

In the second place, the reader of this article is struck by the complete absence of any foundation for its assertions. There is *not a single* argument, fact, or piece of evidence in the article to confirm *even one* of the authors' allegations. Let us leave to the conscience

Т. Александрова и В. Константинова голословные утверждения о 'мошенничестве', 'разложении моральном и политическом' (!) Гинзбурга, о 'стремлении Галанскова устроиться на шее общества' и в то же время 'чернить его' и т.п. Но нет в статье ни одного доказательства якобы существовавшей связи подсудимых с НТС. Причем здесь Брокс Соколов? Неужели доказательством 'связей' обвиняемых с НТС может служить то, что 'деятели' этой организации называли имена подсудимых Броксу и поручили переправить в СССР пакеты с их фотографиями? Если суд на основании подобных 'улик' признал вину подсудимых, то о какой законности может идти речь? И как же относиться тогда к авторам статьи, прикрывающим беззаконие? Если же были неопровержимые доказательства связи подсудимых с НТС, то почему Т. Александров и В. Константинов ни словом не упоминают о них? В-третьих, в статье намеренно искажаются одни факты и замалчиваются другие. Да, 'известно' о том, что с 8 по 12 января в Москве состоялся этот суд, как пишут авторы, но известно об этом стало не из сообщений советских газет. Т. Александров и В. Константинов не говорят о том, что московский процесс не был публичным и открытым, как того требует советское законодательство, они не сообщают о том, что 'присутствовавшие на суде москвичи' не были широкой публикой, что в зал суда допускались лишь 'избранные' – те, кто имел специальный пропуск. Авторы статьи не пишут о том,

of T. Aleksandrov and V. Konstantinov their unsubstantiated assertions about Ginzburg's 'swindling'
and 'moral and political corruption' (!), about
Galanskov's 'endeavour to hang round society's neck'
and at the same time to 'blacken' it, and so on. But
there is no evidence in the article to justify the linking
of the accused with the NTS. What is Brocks Sokolov
doing here? Can we accept it as evidence of a 'link'
between the accused and the NTS that 'activists' of
that organization gave the names of the accused to
Brocks and entrusted him with the task of taking into
the USSR packets containing photographs of them?
If the court found the accused guilty on the basis
of such 'evidence' as that, what sort of legality is
that? And what are we to think of the authors of
this article who cover up for lawlessness? If there is
irrefutable evidence of a link between the accused
and the NTS, why don't T. Aleksandrov and V.
Konstantinov say anything about it?

In the third place, certain facts are deliberately dis-
torted in the article and others are hushed up. Yes,
it is 'well known' that between 8 and 12 January this
trial took place in Moscow, as the authors write, but
it did not become well known through any report in
Soviet newspapers. T. Aleksandrov and V. Konstantinov do not mention that the Moscow trial was not
held publicly and openly, as Soviet law requires, they do
not mention that 'the Muscovites present in court'
were not members of the general public, that only
'selected people', with special passes, were allowed

что желавшие попасть в зал суда москвичи не получили возможности присутствовать на процессе, что иностранные корреспонденты не были допущены в зал суда из-за 'отсутствия свободных мест' (!), что представителю международной организации помощи политическим заключенным было отказано в доступе в зал суда.[43] Т. Александров и В. Константинов ни словом не обмолвились ни об этих, ни о других вопиющих нарушениях законности и правосудия, допущенных в суде. В статье нет упоминаний о превышенном сверх всякой меры предварительном заключении, в котором находились до суда обвиняемые; здесь ничего не говорится о циничном попрании процессуальных норм, начиная с лишения слова неугодных свидетелей и удаления их из зала суда после дачи показаний и кончая конфискацией записей, делавшихся, например, невестой Гинзбурга, на суде и т.д.

Т. Александров и В. Константинов пишут об 'одобрении', с которым был встречен приговор специально подобранной публикой, но они ничего не говорят о протестах советской и зарубежной общественности, молчат о выступлении П. Литвинова и Л. Даниель. Авторы статьи, поставив себе неблагодарную цель очернить в глазах общественности подсудимых, представить их как 'уголовников', ни словом не упоминают истинных обвинений – таких, как составление А. Гинзбургом 'Белой книги' о про-

---

[43] On February 10 a Norwegian lawyer, Ingjald Oerbeck

100

into the courtroom. The authors do not mention that Moscow citizens who wanted to enter the courtroom were not allowed to be present at the trial, that foreign correspondents were not allowed in, on the pretext that there was 'no room left' (!), that a representative of the international organization for aid to political prisoners was refused admission.[43] T. Aleksandrov and V. Konstantinov have nothing to say about these facts, nor about other crying illegalities committed during the trial. The article says not a word about the extraordinarily long period of preliminary detention to which the accused were subjected, not a word about the cynical violation of trial procedure, from the refusal to inconvenient witnesses of the right to speak, and their expulsion from the courtroom after giving evidence, to the confiscation of notes taken in the courtroom, for example, by Ginzburg's fiancée, and so on.

T. Aleksandrov and V. Konstantinov write about the 'approval' with which the specially selected public received the verdict, but they say nothing of the protests by Soviet and foreign opinion, they are silent on the action taken by P. Litvinov and L. Daniel'. The authors, having set themselves the thankless task of blackening the accused in the eyes of the general public, and presenting them as 'criminals', say nothing about the real charges, such as A. Ginzburg's compiling of the 'White Book' on the trial of Sinjavskij and Daniel',

Soerheim, representative of the organisation Amnesty International, sought access to the courtroom in vain.

101

цессе Синявского и Даниеля, редактирование Ю. Галансковым журнала 'Феникс-66' и т.п.

Все это нельзя не расценивать как сознательную попытку ввести в заблуждение общественное мнение относительно истинного характера состоявшегося в Москве процесса.

Какими бы мотивами не руководствовались Т. Александров и В. Константинов в написании статьи и Ваша газета – в ее опубликовании, факт появления подобного выступления ложится пятном на честь нашей печати, как факт проведения процессов, подобных недавно закончившемуся, ложится пятном на честь государства и на совесть всех его граждан.

И как гражданин страны, провозгласившей на весь мир лозунги свободы и справедливости, *я протестую против факта опубликования статьи Т. Александрова и В. Константинова вашей газетой.*

Как гражданин РСФСР, именем которой был вынесен позорный приговор, *я протестую против этого приговора и того судебного фарса, который был разыгран в Москве.*

Я требую немедленного, открытого и беспристрастного повторного судебного разбирательства дела в присутствии широкой общественности и иностранных корреспондентов.

Я требую публичного осуждения практики закрытых судебных расправ с инакомыслящими и наказания виновных в нарушении правосудия.

Я требую восстановления истины и справедливости.
[Арзамас, 21.1.68; подпись, адрес]

102

Ju. Galanskov's editing of the journal *Phoenix-66*, and so on.

One can only regard all this as a deliberate attempt to mislead public opinion regarding the true nature of the trial held in Moscow.

Whatever may have been the motives that led T. Aleksandrov and V. Konstantinov to write their article for your paper, and you to publish it, the fact that such a thing appeared in the paper constitutes a blot on the honour of our press, just as the fact that such trials as those which concluded not long ago constitutes a blot on the honour of the state and on the conscience of every citizen. And as a citizen of a country which proclaims to the whole world the slogans of freedom and justice, *I protest against the publication in your paper of the article by T. Aleksandrov and V. Konstantinov.*

As a citizen of the RSFSR, in whose name the shameful verdict was promulgated, *I protest against this verdict and against the farce of a trial that was performed in Moscow.*

I demand immediate, open, and impartial re-examination of the case in the presence of a wide public and of foreign correspondents.

I demand public condemnation of the practice of taking secret judicial reprisals against people of dissident views, and punishment of those guilty of violating the law.

I demand the restoration of truth and justice.

[Arzamas, 21.1.68; signature, address]

103

43

Гордимся Вашей смелостью!

Вы истинный внук своего деда-коммуниста, защищавшего права Советского гражданина от произвола во всем мире.

Радостно отметить, что уже имеются смелые люди, которые рискуя своим положением и даже жизнью, способны высказать свободно свое слово во имя справедливости.

Если в наш жестокий век[44] полицейского режима находятся люди, высказывающие открыто мнение многих и борющиеся за права, данные нам конституцией – значит Россия не умрет в летаргическом сне. Она станет истинно свободной и самой справедливой и по-настоящему социалистической страной, где бюрократизм, косность, самодурство умрут. В это мы верим! А если Вы говорите об этом не на страницах наших газет, то в этом не ваша вина.

Желаем Вам успеха, мужества!

Может и мало еще найдется смельчаков поддержать вас, но они есть, эти люди. Приходится сожалеть, что и теперь настоящие люди проходят через тюрьмы, чтобы отстоять право человека на его человеческое достоинство.

Верим, что справедливость восторжествует. Все передовые силы мира на Вашей стороне.

44 Allusion to a poem by Alexander Puškin known as Памятник (Monument, 1836), in which the poet states that he will long be

43

We are proud of your bravery!

You are a true grandson of your Communist grand-father, who defended the rights of the Soviet citizen against arbitrariness throughout the world.

We are glad to see that there are brave people who risk their position and even their lives in order to speak freely in the name of justice.

If in our cruel age[44] of police government there are people to be found ready to voice openly the opinion of many and fight for the rights granted us by the Constitution, this means that Russia will not die in lethargic sleep. It will become a truly free and just, truly socialist country, where bureaucracy, inertia, petty tyranny will die. We believe this! And if you speak about this elsewhere than in the pages of our newspapers, you are not to blame for that.

We wish you success and fortitude!

Perhaps few bold spirits have so far come forward to support you, but such people do exist. It is to be re-gretted that even now real people have to risk prison in order to stand up for man's right to his human dignity.

We believe that justice will triumph. All the advanced forces in the world are on your side.

Have courage! And thank you for your brave example and your appeal! It will go down in history.

loved by the people because 'in my cruel age I extolled freedom' (Что в мой жестокий век восславил я свободу).

Мужайтесь! И спасибо Вам за столь мужественный пример и призыв! Он войдет в историю.

Группа солидарная с Вами.

В этой группе комсомольцы, коммунисты и беспартийные – все те, что возмущены несправедливостью душителей наших прав, завоеванных нашими отцами-революционерами в столь кровопролитной борьбе. Мы поборемся и отстоим Советскую Конституцию!

Россия будет без политического режима МГБ²!

[Москва, 24.1.68]

44

Господин Литвинов!

Мне стало известно, что ты выступаешь с протестом против справедливого суда над антисоветчиками Гинзбургом и К°, которые совершили преступления против нашей Советской Родины. Причем, активно тебе помогает Даниэль-Богораз. С протестом ты выступаешь – 'перед всем миром' – шумно и глупо, неумно и бестолково, крикливо рекламируешь свое антисоветское нутро, как местечковый спекулянт. Ты вступил в странный союз с преступниками, активно их выгораживаешь; непонятно, что тебя с ними связывает. Какое родство? Шумишь, как пустая бочка – 'наших бьют!' И этим криком успешно пользуются другие антисоветчики

106

A group who are in solidarity with you.
This group includes young Communists, Communists and non-Party people – all who are angry at the injustice of those who stifle the rights conquered for us by our revolutionary fathers in such bloody struggles. We will fight for and uphold the Soviet Constitution! Russia shall be freed from the political regime of the M.G.B.²!

[Moscow, 24.1.68]

44

Mr Litvinov!

I learn that you have protested against the just sentence on the enemies of the Soviet people Ginzburg and Co., who committed a crime against our Soviet motherland. Also that you are being actively helped by Daniel'-Bogoraz. You protest 'before the whole world' noisily and stupidly, foolishly and incoherently, loudly proclaiming your anti-Soviet nature like a small-town speculator. You have formed a queer alliance with criminals, actively shielding them; it is not clear what links you with them. What have you in common? You make a loud noise like an empty cask – 'they are beating us!' This cry is used successfully by other enemies of the USSR abroad, who stir up a savage

и враги советской власти за рубежом, поднявшие дикую травлю нашего народа, нашего Советского государства. И поставщиком тухлого горючего для этой травли является Ваша милость! Ты, наверно, считаешь себя советским патриотом? Но в таком случае надо сказать, что в твоем 'патриотизме' нет ничего нашего русского, советского. От твоего патриотизма несет на многие километры Израилем (я не знаю твоей национальности, но считаю что ты русский, хотя, в данном случае, национальная принадлежность не имеет никакого значения. Все дело в самом человеке). Тебя прохвоста советский народ выучил за свои кровные деньги, а ты ему в благодарность решил обгадить его в меру своих не умных сил и способностей. Разве так поступают честные советские люди? Нет, так поступают только прохвосты, у которых нет ни стыда ни совести, ни Родины, а есть только лютая ненависть к нашей Родине, к нашему народу.
Стыдно за твоего деда Литвинова М. М.
Кроме ненависти, другого чувства к таким проходимцам как ты не может быть!

[Москва, 29.1.68; подпись]

45

Господин Павел Литвинов!

Когда самый реакционный антисоветский орган

campaign against our people, our Soviet state. And the supplier of rotten fuel for this compaign is none other than your worship! No doubt you regard yourself as a Soviet patriot? Even so it must be said that in your 'patriotism' there is nothing Russian, nothing Soviet. Your patriotism reeks of Israel, from a mile off. (I don't know what your nationality is, but I consider you a Russian, though in such cases national affiliation means nothing. It all depends on the individual himself.) The Soviet people have educated you, you scoundrel, with the money they have worked hard for, and in gratitude you have decided to do dirt upon them to the full extent of your stupid powers and abilities. Is this how decent Soviet people act? No, only scoundrels act like this, persons without shame or conscience, without a motherland, persons who have only a rabid hatred of our motherland and our people. You have shamed your grandfather M. M. Litvinov. It is impossible to feel anything but hatred for rogues like you!

[Moscow, 29.1.68; signed]

45

Mr Pavel Litvinov!

When that arch-reactionary anti-Soviet organ the BBC

109

Б.Б.С. (Би-Би-Си) развернул по Вашей письменной просьбе и от Вашего имени разнузданную антисоветскую кампанию, почему-то я подумал, что Вы все же русский человек, пусть даже Вы став в одну шеренгу с этой сволочью льете помои на советский строй, на его законы, на его народ, но сам этот омерзительный факт должен был бы вызвать у Вас чувство раскаяния и протест. Вот поэтому я полагал, что Вы открыто выступите в 'Известиях' с осуждением свой гнусный поступок. Раз этого не случилось, пользуясь правом советского гр-на я выскажу свое мнение о Вас и о Вашем оскорбительном поступке против нас.

Если бы сейчас воскрес Ваш отец, то он сказал Вам всего лишь одно слово 'подлец', но я скажу Вам больше, Вы предатель интересов своей родины. Мне 70 лет. Я защищал Октябрь, прошел всю гр[ажданс]кую войну, участвовал еще в двух войнах, а с отечественной войны вернулся инвалидом, потерял зрение. Вот сейчас пишу пользуясь самодельным станком, будут ошибки, прошу извинить. Миллионы лучших сынов стали калеками, а десятки миллионов отдали свою жизнь за честь и славу своей родины. Вот во что обошелся нам советский строй. А Вы гнида, захотели на готовеньком себе новую 'демократию' льете грязь на завоеванное чужой кровью. Советский строй, это наш строй, избранный сов[етским] народом, законы тоже наши, органы судопроизводства, это тоже наши избранники, вершат дело нашим именем. Вот по-

made play with your letter and used your name for an unbridled anti-Soviet campaign, I thought you were, evenso, a Russian, even though you had fallen into company with this riff-raff and along with them were befouling Soviet society, Soviet laws, and the Soviet people, but this sickening fact should of itself have aroused in you a feeling of repentance and protest. I therefore supposed you would write to *Izvestija* condemning your own vile deed. Since this has not happened, I am using my right as a Soviet citizen to express my opinion about you and your insulting conduct towards us.

If your father were to come back to life, he would say just one word to you – 'Scoundrel', but I am going to say more than that, you traitor to the interests of your motherland. I am 70 years old. I defended the October revolution, went all through the civil war, took part in two more wars, and returned from the Patriotic War disabled, having lost my sight. That is why I am writing to you now on a home-made machine, so please excuse any mistakes.

Millions of the best sons of our people became cripples and tens of millions laid down their lives for the honour and glory of their motherland. That was how our Soviet order survived. And you, you louse, wanting some ready-made new 'democracy', throw filth on what has been won by others' blood. The Soviet order is our order, chosen by the Soviet people, its laws are also ours, and the organs of justice, which we have elected, direct affairs in our name. This is why everything

111

чему все, что советское, это неприкасаемое, не нарушаемое, священное.

Судя по Вашим действиям, Вы просто недальновидный, мелкий обыватель, с ограниченным умом, аполитичный и бездарный человек. Вы страдаете манией величия, но духовно опустошенный. Вы долго мечтали о наследственных привилегиях, они сами по себе не пришли, а проявить себя нет способности и дарований: Вам казалось, что Вас везде и всюду обходят, не возвышают, а чванство одолевает все Ваше нутро, кипит злоба на свою беспомощность и бессилье, а тут еще неудачи и провалы толкают на крайности, круг замыкается. Причиной всех своих несчастий и своего духовного уродства Вы видите в советском строе. Но как быть? вступать в открытый бой нельзя. Вы только козявка, это Вы знаете, но ведь и козявка может издавать зловоние, вот с этого и надо начинать. Вы возглавили шайку антисоветских пачкунов и организовали переправку в НТС этот товар. Всех этих пачкунов Вы выдаете за советских, подчеркиваю, за советских. Скажите, какие произведения Даниэля, Синявского, Гинзбурга и К⁰ Вы читали? Не читали? Никто не читал и никто из них ничего и никогда не писал кроме разве написанное по заказу НТС. Ваша шайка провалилась. Казалось бы показания Соколова Бруса на очной ставке по делу Гинзбург и К⁰, казалось бы должно было Вас привести в чувство, но это не произошло, наоборот, окружив себя иностранными журналистами-советниками, перешагнули границы

112

Soviet is inviolable, unbreakable, holy.

Judging by what you have done, you are merely a short-sighted, petty philistine, of limited intelligence, an apolitical and ungifted person. You suffer from megalomania, but you are spiritually bankrupt. You have long dreamt of hereditary privileges, but they did not come automatically, and you had no abilities or gifts to display. It seemed to you that people everywhere were passing you by and not praising you, and self-conceit overpowered your whole being, spite seethed in you because of your impotence, and your failures drove you to extremes; the circle closed. You see the cause of all your failures and your spiritual deformity in the Soviet order. But what can you do about it? You can't launch an open attack. You are only an insect, and you know it, but after all even an insect can make a stink so you begin with that. You put yourself at the head of a gang of anti-Soviet scribblers and organized the sale of this commodity to the N.T.S. You present these scribblers as Soviet people, I stress, Soviet people. Tell me, what writings of Daniel', Sinjavskij, Ginzburg and Co. have you read? You haven't read any? No, nobody has read any, and none of them has ever written anything, except maybe on the orders of the N.T.S. Your gang has failed. It might seem that the evidence given by Sokolov Brus when confronted with the accused in the Ginzburg case, ought to have brought you to your senses, but this did not happen – on the contrary, you surrounded yourself with foreign jour-nalist-advisers and have exceeded the bounds of the

дозволенного, скажем прямо, все эти Ваши друзья и советники на 100% шпионы и не мало из них работают и на ЦРУ, об этом Вы не знать не могли. Не Вы их завербовали, а они Вас завербовали в антисоветскую клеветническую пропаганду и чтобы всю эту кампанию вести Вашими руками и от Вашего имени, играя на Вашем чванливом самовозвышении, подбадривали Вас 'Вы потомок большого и знатного дипломата, Вам все можно'. Вы стали марионеткой в руках этих негодяев, Вы ослепленный 'похвалами' забыли, что Вы гр-н советского союза и это Ваша родина. Вам подсказывали эти Ваши советники, что нужно делать, обещали помощи, поддержки в Ваших 'благородных' действиях против ненавистным для них советским строем. Они составили на английском языке текст 'обращения' от имени Вас к всему миру; это было то, за чем они охотились, вербуя Вас в свою агентуру и Вы его подписали. С этого момента Вы перестали быть советским гр-ном, а став его врагом перешли на стан врагов нашего народа. С таким обращением может выступить только враг нашего народа, другого названия ему нет.

Б.Б.С., куда доставили Ваше заявление были довольны работой своей агентуры и Вашей преданностью и усердием. Быстро составили текст благодарственного письма[45] в Ваш адрес, возводя Вас в ранг 'мужсственного героя', по телефону собрали

[45] Probably an allusion to document no. 25.

114

permissible. Let's speak plainly, all these friends and advisers of yours are 100 per cent spies and not a few of them work for the C.I.A., as you must know. It is not you who have enlisted them but they who have enlisted you for anti-Soviet slanderous propaganda, and so as to carry on this campaign through you and in your name they are playing on your presumptuous self-conceit, flattering you. 'You are the descendant of a great and distinguished diplomat, you can do anything.' You have become a puppet in the hands of these villains; dazzled by this 'praise' you have forgotten that you are a citizen of the Soviet Union and that this is your motherland. Your advisers have prompted you what to do, promising help and support for your 'noble' deeds against the Soviet order which they hate. They have drawn up in English the text of an 'appeal' in your name, addressed to the whole world; this is what they were after when they recruited you as their agent, and you signed it. From that moment you ceased to be a Soviet citizen and became an enemy, went over to the camp of the enemies of our people, there is no other way to put it.

The BBC, which you supplied with your appeal, was pleased with the work of its agents and with your devotion and zeal. They quickly composed a letter of thanks[45] to you, raising you to the rank of 'brave hero', and collected signatures by ringing round, saying nothing about the agents of the N.T.S. You can be happy, your 'work' has been valued at its true worth. The Soviet people have also evaluated your 'services', and

подписи, умолчав при этом о лазутчиках НТС. Вы можете быть довольным, Ваш 'труд' оценен по достоинству. Советский народ тоже оценил Ваши 'заслуги', что касается суровая карающая рука правосудия не заставит долго ожидать, ибо этого требуют миллионы живущих и отдавших свою жизнь во славу родины. Вы, г. Литвинов считаете себя образованным человеком, а на деле Вы просто тупой и невежа. Задавали ли Вы себе вот такие вопросы: 'какое я имею отношение к данному процессу антисоветских агентуры НТС?' Кто такие 'мы требуем пересмотра дела' от имени кого Вы требуете и кто такие 'мы'? 'Какое я имею право требовать или указывать суду вообще, какое вести заседание, в частности, открытое или закрытое?' Я понимаю Вас. Вы хотели бы, как то же самое хотят Ваши советники, превратить судебное заседание в дискуссионный зал. Ведь до этого может додуматься действительно только глупец. Вы, господин Литвинов из-за своего легкомыслия и недальновидности не представляете себе, какой сюрприз готовят Вам Ваши друзья из ББС. Вы, слушая их передачи о Вашем 'мужестве' наверно восторгаетесь, но не замечаете их коварные замыслы. Начав серию передач о Вашем 'мужестве' они перестали даже упоминать о Синявском и Даниэле и о Гинзбурге и Кᵒ. Потому что вся эта мелкая рыбешка отдает плохим запахом, они провалились, разоблачены связями с НТС и они вышли из игры, больше не котируются. ББС нужен свежий товар. Свежим

116

they will not have to wait long for the stern punishing hand of justice to deal with you, as is demanded by millions not only of the living but also of those who gave their lives for the glory of the motherland. You, Mr Litvinov, think you are an educated man, but in reality you are just stupid and ignorant. Did you ask yourself – 'What have I to do with this trial of anti-Soviet agents of the N.T.S.?' 'Who are the "we" who "demand a rehearing of the case"?' 'What right have I to put demands to the court in general and, in particular, to say whether it should try the criminals openly or behind closed doors?' I understand you. You would have liked, as would your advisers, to transform the court into a debating hall. Really only a fool could have thought of such a thing. You, Mr Litvinov, owing to your shallowness and lack of foresight, do not realize what a suprise is being pre-pared for you by your friends at the BBC. When you heard their broadcast about your 'courage' you were probably delighted, but you didn't spot their crafty design. Having begun a series of broadcasts about your 'courage' they stopped even mentioning Sinjavskij and Daniel' and Ginzburg and Co. Because all those small fry give off a bad smell, they have failed, their links with the N.T.S. have been exposed, and they are out of the game, nobody cares about them any more. The BBC needs something fresh to sell, and you are it. But you too are small fry for them, without any weight in society; when your reputation is spoiled the fish will soon stink. They treat you and your like as

товаром явились для них Вы. Но и Вы для них — мелкая рыбешка, не имеющая никакого веса в обществе, к тому же с грязной репутацией, рыбешка скоро протухнет. Вам и подобными они обращаются как с половой тряпкой, использовал, выжал и выбросил. Им нужна новая жертва, новая половая тряпка, чтобы использовать как новый материал для клеветы на советский строй. Этой жертвой они заметили Вас же. Вот ББС в течение двух недель передает несколько раз в день свои клеветнические материалы против СССР и все это делается по Вашей просьбе, от Вашего имени и зачитывают Ваши заявления, составленные в грубых и вызывающих выражениях. Для чего они это делают? Чтобы выставить Вас же виновником и предателем интересов своей страны, вызвать против Вас возмущение советского народа, цепную реакцию, вынудить Сов. юстицию заняться Вами, короче говоря они хотят видеть Вас на скамье подсудимых, прежде за решетку. Им нужны не Вы, Вы для них только объект, им надо новый материал, новый повод для клеветы на СССР. Ваш арест вспрыснет новую струю в их пропаганду недельки на две, тоже самое даст и суд над Вами. А потом забудут обо всем, в том числе и о Вас. Вы сделали свое дело. Вот почему они по три раза в день зачитывают Ваше заявление в своих передачах и выдвигают Вас как мишень, на передний план. Передача в руки врагов такое заявление, провокационное по форме, контрреволюционный по содержанию без следа остаться

floor-cloths, to be used, squeezed, and thrown aside. They need new victims, new floor-cloths to use as fresh material for slandering the Soviet order. They have chosen you as such a victim. For a fortnight now the BBC has been broadcasting several times a day your slanderous anti-Soviet stuff, and all this is done at your request, in your name, and they read out your statements, made up of crude and provocative expressions. Why are they doing this? In order to push you forward as a criminal and traitor to the interests of your country, to arouse the indignation of the Soviet people against you, starting a chain reaction, forcing Soviet justice to deal with you; in short, they want to see you first in the dock and then in prison. They don't want you, you are only an object as far as they are concerned, they need new material, a fresh pretext for slander against the USSR. Your arrest will start a new stream flowing in their propaganda for a couple of weeks, and then your trial: the same thing. And after that they'll forget all about it and about you. You will have done your work. This is why they read out your appeal three times a day in their broadcasts and set you up as a target, right in the forefront. Putting such an appeal into the hands of an enemy agency, an appeal provocative in form and counter-revolutionary in content, cannot remain without consequences. You must not forget this. As regards the attacks of the BBC, we have not ceased reacting to them for the last 50 years. Though Larisa Daniel' also signed the appeal, they look on her as an uninter-

не может. Это Вы не должны забывать. Что касается выступления ББС, то мы на них не перестали реагировать за 50 лет. Лариса Даниэль хотя и подписала заявление, ее считают мелочью, ставку делают на Ваш арест и суд. Народ нашей страны требует наказания Вас по заслугам, пишут письма, пишут коллективные заявления с требованием суда над Вами, и он состоится, в этом можно не сомневаться. Такое предательство прощать нельзя! Вы должны понять еще об одном факте, это о благодарственном письме, Б.Б.С. не без злого умысла сделала это, чтобы еще больше натравить против Вас советские органы, связав Вас к колеснице противников СССР. Подумайте -ка. Я начал свое письмо с вопроса, почему Вы не выступили в 'Известиях' с протестом о столь злобной клеветнической компании ББС против СССР, хочу кончить свое письмо этим же вопросом. Неужели Вам не дорога честь и слава своей родины? Неужели свои мелочные интересы Вы ставите превыше всего? Выступая защитником негодяев, продавших интересы своей родины НТС, кому Вы оказываете услугу? Почему Вы боитесь разоблачить всю иностранную агентуру, которые Вашу доверчивость использовали против Вас же? Почему не отошлете обратно 'благодарственное' письмо, позорящее Вас как советского гр-на? Почему Вы не сообщите всем лицам, подписавшим эту позорную грамоту, о том, что ББС их ввел в заблуждение? Почему Вы не протестуете о том, что Вы никакого заявления не

120

esting person. What they are after is getting you arrested and put on trial. Our people are demanding that you be punished, they are writing letters, sending in collective appeals demanding that you be brought to trial, and this will happen, no doubt about it. Such treason can't be allowed. You must understand one fact more; the business of the letter of thanks, the BBC did this not without malicious intent, so as to set the Soviet organs still more against you, by tying you to the chariot wheel of the enemies of the USSR. Just think it over. I began my letter with a question, why didn't you write to *Izvestija* protesting against the BBC's malicious slander campaign against the USSR, and I want to end my letter with this same question. Are the honour and glory of your country not dear to you? Do you put your own petty interests higher than anything else? When you come forward as defender of rogues who have sold the interests of their motherland to the N.T.S., whom are you serving? Why do you fear to expose the whole foreign spy system which has used your own credulity against you? Why do you not send back that letter of 'gratitude' which disgraces you as a Soviet citizen? Why don't you tell all those people who signed that shameful letter that the BBC has led them into error? Why don't you protest that you have not signed any declarations or given them to agents of the BBC, or that you signed something quite different, and that the BBC put my signature on a declaration that I hadn't written? Your crime needs no proof, so it is pointless to bother with that, it would be

подписывали и не передавали агентам ББС, или Вы подписывали совсем другое, а ББС подделал мою подпись в заявлении, которое я не писал? Ваша вина не требует доказательств, поэтому утруждать их бесполезно, лучше своим искренним признанием Вы можете только искупить и смягчить долю своей вины. Поймите же, когда человек освобождает себя от лишнего, неприятного груза, легче становится у него на душе. Допустим, Вас посадят на 10–12 лет, кому от этого легче? У Вас семья, дети, зачем же их вовлекать на страдания, неужели они тоже Ваши враги? Верно, для такого благородного поступка надо прежде всего иметь честь, совесть, силу воли и мужество. Обладаете ли Вы этим качеством, не знаю. Время не ждет, надо опередить ход событий, в этом заложена основа успеха.

Ответа не жду, в этом нет нужды.

инвалид отеч[ественной] войны

[Ташкент, 30.1.68; подпись, адрес]

46

Дорогой товарищ Павел Михайлович!

Я восхищсн Вашим мужеством.
Желаю Вам и дальше успехов в Вашей борьбе за справедливость.

better for you to admit it honestly; in this way alone can you expiate and mitigate your share of the crime. Believe me, when a man rids himself of an unnecessary and disagreeable burden, he feels better in his heart. Suppose they were to send you to prison for ten or twelve years, who would be the better for that? You have a family, children, why involve them in suffering, surely they aren't your enemies too? True, in order to take such a noble step, what is needed above all is honour, conscience, will-power, and courage. Whether you possess these qualities I don't know. Time won't wait for you, though, you must hasten ahead of events, everything depends on your doing that.

I don't expect any reply, there's no need for one.
[...], disabled in the Patriotic War

[Taškent, 30.1.68; signature, address]

46

Dear Comrade Pavel Michajlovič!

Congratulations on your courage.
I wish you further success in your fight for justice.
Forgive me for not writing till now, but realize that

Простите, что с опозданием пишу, но учтите, я старик, мне 73 года и из-за холодов лежал больным.

Уважаемый Вас

[Московская область, 31.1.68; подпись]

47

поддерживаю, такое допустить нельзя, музыки преподаватель

[Ташкент, 1.2.68; подпись, адрес]

48

Дорогие и глубокоуважаемые Павел Михайлович и Лариса!

Спасибо Вам за то, что своим мужественным и благородным поступком вы вернули мне веру в людей.
Своим подвигом вы во многих душах пробудили возвышенные мысли, чувства и стремления.
Дорогая Лариса, я молюсь за Вашего мужа, за Андрея Синявского и за других.
Почти уверена – мое письмо вряд ли дойдет до вас, но все равно не могла не написать вам обоим.
Все достойные люди с вами.
С глубочайшим уважением.

[Москва, 1.2.68; подпись]

I am an old man of 73 and have been ill owing to the cold weather.

Sincerely

[Moscow Region, 31.1.68; signed]

47

support you, such things intolerable, music teacher

[Taškent, 1.2.68; signature, address]

48

Dear Pavel Michajlovič and Larisa!

Thank you for your brave and noble action, which has restored my faith in people.
By your great deed you have inspired many spirits with lofty thoughts, feelings, and aspirations.
Dear Larisa, I pray for your husband, for Andrej Sinjavskij and the others.
I am pretty certain that my letter is unlikely to reach you, but nevertheless I cannot refrain from writing to you both.
All worthy people are with you.

Yours with deepest respect,

[Moscow, 1.2.68; signed]

125

49

гордимся вами поддерживаем ваше требование
мужество ваше возрождает надежду

ленинград

[Ленинград, 4.2.68]

50

Уважаемый т. Литвинов![46]

Благодарен за ответ и прошу извинить за задержку
с ответом, на это причина уважительная – болен и
сейчас пишу из больничной палаты.
Ну что можно сказать Вам в отношении ответа –
им я доволен и мне кажется, что вы почти все пра-
вильно поняли, только в отношении фашистов, я
не имел ввиду, что Вы непосредственно к ним обра-
тились за помощью и что-то писали в своем обращении о них. Нет. Но ведь больше ФРГ никто не
смакует вашего обращения. Да и Англичане с Аме-
риканцами, они ведь не противники тех, кого я
имел в виду, а скорее покровители. Ведь они всех
недобитых фашистов еще во время войны, когда
сами участвовали в союзе с нами против фашизма,
а сами их встречали с распростертыми объятьями.
Да и по сей день всячески стараются покрывать
тех, кого нужно судить как врага человечества.
Теперь в отношении статьи в 'Комсомольской

---

[46] The author of this letter is also the author of no. 37.

126

49

proud of you we support your demand your courage
revives hope

leningrad

[Leningrad, 4.2.68]

50

Dear Comrade Litvinov!

Thanks for your reply[46] and please forgive my delay
in writing back, there's a good reason – I am ill, and
am writing from a hospital ward.

Well, what can I say about your reply – I am satisfied
with it, and it seems to me that you have understood
nearly everything correctly, except about the Fascists.
I didn't mean that you appealed directly to them for
help and wrote something in your appeal about them.
No. But, after all, nobody has enjoyed your appeal
better than the German Federal Republic. The British
and the Americans are not the opponents of those I
had in mind, but rather their protectors. Because all
fascists whom we didn't finish off during the war,
when the British and Americans were in alliance with
us against Fascism, they received them themselves with
open arms. To this day they are trying to protect those
who ought to be dealt with as enemies of mankind.

Now about the article in *Komsomol'skaja pravda*. I
read it and naturally believed everything that was
written in it, but when I got your letter I began to have

правде'. Я ее читал и естественно поверил всему, что там написано, но когда получил ваше письмо, стал в некоторых пунктах сомневаться. Вы в своем письме не написали, что же в статье ложного и что правдиво.

Во всяком случае утверждение в статье о том, что Галансков в суде заявил 'Мы хотели, чтобы наши имена стали известны во всем мире' думаю правдивы, так как радио 'Свобода' это же утверждало. Этого они добились, но каким путем?... Как видно, им безразлично.

Понял я одно, если характеристика Гинзбурга, Галанскова, Добровольского в статье правдивы, они не заслуживают того, чтобы за них выступать в защиту. Такие люди мешают нашему обществу и их необходимо изолировать.

Если к этим преступникам проявили какие-то беззакония, так это другое дело. А вот как бороться с нарушениями закона самими властями, не вынося сор из избы, я вам ничего не могу написать, не потому, что не хочу, а потому, что не знаю. Да, я этого не стыжусь – не знаю. Мне не приходилось иметь дело с подобным и даже не приходилось разговаривать на подобные темы с более грамотными или учеными людьми. Короче говоря, я об этом стал думать толко после того как написал Вам.

Я с Вами не согласен в отношении объективности и правдивости 'Би-Би-Си' и 'Голоса Америки'. Они часто противоречат друг другу и даже своим сооб-

doubts about some points in it. You did not say in your letter what was false in the article and what was true.

In any case, I think, the statement in the article that Galanskov told the court 'We wanted our names to become known throughout the world' is true, because the 'Freedom' radio reported it. They have achieved that, but in what manner?... Obviously it is all the same to them.

I understand one thing: if the description of Ginzburg, Galanskov, and Dobrovol'skij in the article is correct, they don't deserve to be defended. Such people are a hindrance to our society and must be isolated.

If something unlawful was done to these criminals, that's another matter. But as to how to combat breaches of the law committed by the authorities themselves, without washing our dirty linen in public, I can write nothing to you, not because I don't want to but because I don't know what to say. I'm not ashamed of it, I just don't know. I have never had to do with things like that, and I've never had the chance to talk about them with better-educated or learned people. To put it briefly, I have only begun to think about the problem since I wrote to you.

I don't agree with you about the BBC and the Voice of America being objective and correct. They often contradict each other, and even themselves. Thus, for instance, they reported: 'The young chemist Litvinov is protesting' and so on, then they changed you into a physicist, and after that they said you were a teacher of physics who had been dismissed. One doesn't know

щениям. Как например, напишу, они сообщали 'Молодой ученый химик Литвинов протестует и т.д.', а потом произвели вас в ученого физика, а потом говорят, что Вы – преподаватель физики, уволен с работы. Не знаю, чему верить. А потом почти все комментарии Би-Би-Си и Голоса Америки, если внимательно вслушаться, пропитаны антисоветской пропагандой. В связи с 50-тилетием Октября они передавали серию передач, посвященных этой дате, в которых на первый план выставлялись ошибки и недостатки и очень мало или совсем не упоминали об успехах. А победу 45-го года они выставляют в таком свете, что мы т.е. наша Армия сделала самую малость, а они основа победы, даже утверждают, что без 2-го фронта мы бы не одержали Победы. Это абсурд. С большим трудом но победа была бы на нашей стороне, я в этом убежден…. Где же объективность?

Наверное, все. Когда собирался писать, думал многое напишу, спешу, а сел писать и как-то многое вылетело из головы. Прошу извинить если что не по порядку. Благодарю за просьбу при случае зайти. Если придется быть в Москве, зайду. В свою очередь приглашаю Вас зайти ко мне, если вздумаете путешествовать по деревенским дорогам и если придется в начале сентября, угощу свежим медом, яблоками, разумеется своими.

Будьте здоровы. С приветом.

[Воронеж, 10.2.68; подпись]

130

what to believe. And then, almost all these commentaries by the BBC and the Voice of America, if you listen to them carefully, are full of anti-Soviet propaganda. In connexion with the 50th anniversary of October they broadcast a series of programmes devoted to this anniversary in which they put in the foreground our mistakes and shortcomings and said little or nothing about our successes. And they presented the victory in 1945 in such a light as though we, I mean our army, did the least towards it, while they laid the basis for victory, even saying that without the Second Front we should not have won. This is absurd. It would have been harder, but all the same we should still have won, I'm sure of that.... Where is their objectivity?

That's all, I think. When I began writing, I thought I would write a lot, but as I have been writing, a lot has somehow disappeared from my mind. Please excuse me if there is anything wrong with this letter. Thanks for the invitation to call on you. If I am ever in Moscow, I will look you up. For my part, I invite you to come and see me, if you ever think of taking the road into the country, and if you come at the beginning of September, I'll treat you to some fresh honey and apples, all my own, of course.

All good wishes.

[Voronež, 10.2.68; signed]

51

Уважаемый Павел!

Заранее предупреждаю: пусть Вас не удивляет получение этого письма. Можете понять, что я слышал о Вашем голосе по радио. Конечно, по известной причине я не могу знать всей подоплеки того дела, которое побудило Вас стать на путь не совсем гладкий для себя. Но зная, что Вы внук известного предка-ленинца, я не могу подумать, что сделали Вы это из побуждения мелкого тщеславия и честолюбия. Видно засилие всевозможных беспардонных держиморд и здесь, в столице, уже дошло до такой степени, что если все молча сносить, то могут вернуться времена, о которых даже во сне не хотелось бы вспоминать. Итак, если Вы боретесь против этого, то пусть эти строки неизвестного станут Вам хоть мизерной поддержкой в Вашем благородном деле. Я думаю о Вас как о рыцаре без страха и упрека. И мне хочется сказать о Вас: вот он русский Дантон! Это может показаться кое-кому и наивным и банальным, но если подумаешь, что обыватель всегда спал и спит пока у него брюхо не пустое, а только благородные сердца всегда умели взглянуть далеко вперед, то в этом нет ничего громкого.

В 1956 году со мной произошел такой случай: я работал на такой работе, что от меня зависели десятки бригад рабочих, т.е. я давал им фронт работы. Но вот у меня начали появляться простои, я пред-

51

Dear Pavel!

Let me warn you in advance: don't be surprised to
receive this letter. You will realize that I heard on the
radio about what you said. Of course, for obvious
reasons it's not possible for me to know all the ins and
outs of this affair which has made you take a road
which can't be altogether a smooth one for you. But,
knowing that you are the grandson of a famous
Leninist, it is not to be supposed that you have done
this merely from petty vanity and ambition. The
dominance of the all-powerful and impudent bullies is
clear to everyone, and here in the capital it has already
reached such a degree that if things are allowed to go
on like this without protest, those times may come
back which we don't like to remember even in dreams.
And so, if you are fighting against this situation, let
these lines from a stranger bring you a little bit of
support in your noble work. I think of you as of a
chevalier sans peur et sans reproche. And I want to say
about you: here we have a Russian Danton! This may
seem naive and banal, but if you consider that the
philistine has always slept and will go on sleeping so
long as his belly isn't empty, and only noble hearts have
known how to look a long way ahead into the future,
there is nothing bombastic about it.

In 1956 something happened to me: I was working at a
job in which dozens of teams of workers depended on
me, that is, my work determined the pace of theirs.

133

упредил мастера, чтобы он принял меры иначе подойдет время – задел деталей кончится, я не сумею во-время дать нужное количество деталей и люди будут простаивать. Он пообещал, но нужных мер не принял. Когда же бригады начали простаивать, вмешался в это дело начальник цеха, поставил на станок другую бригаду, через дня три прорыв был ликвидирован, но уже мы начали простаивать по полсмены.

Я встретил мастера и говорю ему:

– Видишь, если бы ты во-время принял меры, то не нужно было бы ставить другую бригаду и теперь мы бы не простаивали.

– Не твоего ума дело, последовал мне ответ.

– Как не моего ума дело?!

– А вот так. Будешь много болтать, я тебя с завода выброшу.

Эта угроза и унижение настолько меня оскорбило и обидело, что я не мог сдержать себя. Подумалось: на социалистическом предприятии, да так ведет себя. А не дай бог, чтобы такой стал хозяином, то как он тогда поступал с зависимыми от него? Я назвал его негодяем, обругал всевозможными нецензурными словами и т. д. Он пожаловался начальнику цеха, тот вызвал меня. Начал требовать, чтобы я извинился, стал угрожать мне. Но я был упрямым, решил испить любую чашу до дна, но не стать на колени. Они, конечно, не простили мне, а начали всевозможными способами мстить: через некоторое время нашли предлог срезать на 45%

But periods of idleness occurred, I warned the foreman to take steps otherwise their stock of parts would run out and I would not be able to give them the necessary quantity of parts in time and the men would be left for a time with nothing to do. He promised to take the needful steps, but didn't. When the work-teams began to find themselves with nothing to do, the workshop manager took a hand in the matter. He put a different team on the lathes and in three days the breakdown was overcome, but we had already fallen behind by half a shift-period.

I went to see the foreman and said to him:

– Look, if you had done what was needed in time it wouldn't have been necessary to bring in another team and we shouldn't be idle now.

– Mind your own business. This is above your level, was the answer I got.

– What do you mean?

– Listen, if you have such a lot to say, I'll put you out of the works.

This threat and humiliation made me feel so insulted and offended that I couldn't control myself. I thought, here we are, in a socialist enterprise, and that's how he behaves. And if, God forbid, somebody like him were to become boss, how would he treat those under him? I called him a scoundrel, swore at him, using all sorts of bad language, and so on. He complained to the workshop manager, who summoned me to his office and started to demand that I apologize, and to threaten me if I didn't. But I was obstinate, I decided to drink

расценки на тех работах, которые я выполнял. Словом, начали провоцировать, чтобы найти предлог избавиться.

Потом случайно мне удалось услышать разговор дружка 'обиженного' мной мастера с ним:

— Ты почему не прищемил ему язык? Отправил бы его в органы, чтобы ему там вправили мозги!

— Видишь ли, еще не известно, чем это может обернуться. Не те времена, творится что-то непонятное.

Дело тогда было как раз после XX съезда и они были расстроены и растеряны, что не известно, на какие методы следует ориентироваться. Вот это, пожалуй, и спасло тогда меня от рук органов.

Прошло время, кое-что изменилось, кое-что прояснилось, но не ушли со сцены те, кто вбил себе в голову, что только им дано право властвовать, а все остальное 'мовчить бо благоденствуе'.[47] Мне с тех пор пришлось уже не раз убедиться, что все беспардонное притаилось и ждет своего часа. А такой час может подойти: недавно пришлось слушать лекцию 'О бдительности советских людей'. Но лектор меньше всего нажимал на тот вопрос, что нужно быть всем едиными против внешних врагов, а больше всего направлял мысль слушателей, что нужно следить друг за другом и обо всем

---

[47] Quotation from Taras Ševčenko's poem 'Kavkaz' (1845): Од молдаванина до фіна / На всіх язиках все мовчить, / Бо благоденствуэ! (From the Moldavian to the Finn / Everyone is silent in every language / out of sheer happiness.)

any cup that was offered, to the dregs, rather than go down on my knees. They, of course, could not forgive me, and began to take revenge in all sorts of ways; and in a short time they had found an excuse to cut by 45 per cent the rates paid for the work I was doing. In short, they started to provoke me, so as to make an excuse to get rid of me.

Later I happened to overhear a conversation between the foreman I had 'insulted' and one of his pals:

– Why didn't you step on his tongue? You should have sent him to the security department to have his head put right!

– Well, you see, it isn't clear yet how this thing will turn out. Times aren't what they were, something queer is going on.

This was just after the 20th Congress, and they were unhappy and confused because it wasn't clear what methods they ought to follow. This was what, very likely, saved me at that time from the clutches of the security organs.

Time has passed, something has changed, things have brightened up a bit, but those people are still with us who had the idea that only they possessed the right to rule, while everybody else had to 'shut up and like it'.[47] Since then I have several times had reason to see that all those presumptuous people are still lurking around and biding their time. And their time may come: not long ago I heard a talk 'On the vigilance of Soviet people.' But the speaker spoke little about the question of the need for us to be united against external foes;

замеченном доносить в органы. Приводил пример, что органам удалось узнать об одном человеке, который списывал недостатки жизни в нашем городе и хотел эти материалы через кого-либо передать за границу, второй по совету радио из-за рубежа написал программу и устав партии, которая должна возникнуть и бороться за ликвидацию наших недостатков и об этом стало известно органам. Негромогласная реакция слушателей на эту лекцию была, примерно, такая: во времячко! Давай не будем заниматься делом, а только ходить и подсматривать друг за другом. Выходит, что органы созданы не для того, чтобы мы спокойно работали, а мы созданы для того, чтобы им давать работу и т. д. Это, конечно, была буря в стакане воды, но и она может стать показателем, что народ молчаливо пытается сопротивляться насилию. Беда наша, пожалуй, в том, что в период относительного затишья к власти все больше прорывается вероломное, беспардонное, мелко-тщеславное, а все честное благодушествует и оттесняется. Историей нашего народа доказано, что в тяжелую годину мы способны в своей толпе найти силы способные противостоять поработителям, а вот во время затишья пускаем козлов в капусту. Поэтому Ваш голос человека в защиту человека не может взволновать только подлецов, которым ближе всего свой живот, и безмозглых животных.

Я лично желаю Вам всего наилучшего на этом трудном, но благородном пути. История Вас не забудет!

138

instead, he busied himself mainly with putting it into his hearers' heads that they must keep close watch on each other and report anything they noticed to the security authorities. He quoted as an example that the security people has succeeded in finding out about a certain man who had written an article on the short-comings of life in our town and wanted to send this information abroad via somebody; this second person, on the advice of a foreign radio station, wrote out the programme and rules of a Party which was to arise and fight for the elimination of our shortcomings, and the security organs learnt about this. The muttered reaction of the people who heard this talk was something like this: What times we live in! So we haven't to get on with our work, but only to keep an eye on each other and act the spy. It seems that the security bodies haven't been created so that we can work in peace, but rather it is we who have been created so as to provide them with work, and so on. This was, of course, just a storm in a teacup, but it can serve as an indication that the people are silently setting themselves to resist coercion. Our misfortune, perhaps, lies in the fact that in the period when there was a relative lull, perfidious, presumptuous, petty-vanity-ridden people seized hold of power, while all the honest ones peacefully went on enjoying life and let themselves be pushed aside. The history of our people shows that in hard times we are able to find in our multitudes the strength to resist the oppressor, but then when a lull comes we let the goats get in among the cabbages. This is why your voice, as

Я также слышал о Петре Якирс и его товарищах,
о действиях некоторых писателей и поэтов. [48] Хо-

[48] Together with Il'ja Gabaj (a historian who took part with Bukovskij in the demonstration of January 22, 1967, and spent a
month in Lefortovo Prison before the case against him was
dropped) and Julij Kim (teacher of literature, poet, and composer
of popular songs), the historian Petr Jakir (see note 65) signed a
declaration *К деятелям науки, культуры и искусства*, in which
the authors stated that 'slowly but surely a process of restoration
of stalinism is going on, with reliance on our own public inertness,
short memory, and sorry acceptance of non-liberty'. ((Медленно,
но неуклонно идет процесс ревставрации сталинизма. Глав-
ный расчет при этом делается на нашу общественную инерт-
ность, короткую память, горькую нашу привычку к несво-
боде.)
In a letter addressed to party secretary Brežnev, prime minister
Kosygin, chairman of the presidium of the Supreme Soviet
Podgornyj, and attorney general Rudenko by the pianist Marija
Judina, the painter Boris Birger, and twenty-two members of
the Union of Soviet Writers, among them Vasilij Aksenov,
Pavel Antokol'skij, Fazil' Iskander, Venjamin Kaverin, Jurij
Kazakov, and Konstantin Paustovskij, the following statement
was made:
Подписавшие это письмо крайне обеспокоены обстановкой,
созданной вокруг процесса Ю. Галанского, А. Гинзбурга,
А. Добровольского и В. Лашковой, ходом суда и его итогами.
Не секрет, что это судебное дело привлекло к себе внимание
общественности. Между тем, в ходе слушания дела отсут-
ствовала всякая информация о нем. Процесс, официально
объявленный открытым, фактически проходил за закрытыми
дверьми. Вполне понятно, что это породило атмосферу на-
стороженности, тревоги и недоверия.
Появившиеся по окончании суда пространные статьи в 'Известиях' и 'Комсомольской правде' только усугубили это
недоверие. Безапелляционный и в то же время странно нер-
возный тон газетных статей, своего рода психическая атака
на доверчивого читателя – с одной стороны, туманность
аргументации при очевидной нехватке точных фактов – с

140

that of one man defending another, won't move only
these rascals to whom their stomachs matter more

другой; тяжесть обвинений – и их расплывчатость; фор-
мальная гласность суда – и его фактическая негласность, –
все это, вместе взятое, выглядело крайне неблаговидно.
Очень похоже, что достаточного количества уличающих
фактов – конкретных, четко и неопровержимо доказанных –
прессе неоткуда было и взять. Очень похоже, что суд, вы-
несший столь жестокий приговор двум из четырех подсудимых, проводился и в самом деле с серьезными нарушениями
норм советского судопроизводства.
Все это вызывает у нас тревогу.
Все это вызывает понятную озабоченность искренних друзей
нашей страны за рубежом и, в то же время, дает идейным
противникам лишний повод представить наши общественные
нравы и нашу демократию в неприглядном свете.
Несколько 'открытых' уголовных процессов по политическим
делам за сравнительно короткое время, проводившихся при
сходных во многом условиях, наводит на мрачные ассоци-
ации. Не стерлись и не сотрутся в памяти позорные про-
цессы тридцатых годов, проводившиеся, как известно, тоже
'открыто', освещавшиеся, как мы теперь знаем, тенденциозно и недобросовестно и находившиеся даже обоснование в
теории 'обострения классовой борьбы'.
Неужели, отпраздновав пятидесятилетие советской власти,
мы вынуждены быть свидетелями гальванизации лицемер-
ных методов прошлого?
Мы настаиваем на новом, безоговорочно гласном, строго
объективном судебном разбирательстве, при полном соблю-
дении советского законодательства.
Мы настаиваем на этом требовании в интересах истины и
законности, в интересах престижа социалистического государства, во имя справедливости и гуманности.'
(The signers of this letter are deeply disturbed by the situation created around the trial of Ju. Galanskov, A. Ginzburg,
A. Dobrovol'skij and V. Laškova, the proceedings of the trial
and its outcome.
It is no secret that this case has drawn public attention. Meanwhile,

Continuation on page 142

чется сказать: та свити ж ти им в дороги ясний мисяць у гори![49]

Я считаю, что писателям и поэтам, как людям свободной профессии, больше всех видны наши положительные и теневые стороны, поэтому преступно заглушать их голос. Кто же это делает, того нельзя причислить к лику достойных граждан отечества. Тот, кто открыто критикует, тот не может быть врагом отчизны своей.

Те же, кто под предлогом борьбы против антисоветчины заглушает голос правды, приносят отечеству невосполнимый вред, ибо убивает энергию творить.

as the trial was in progress, no information whatsoever was made available. The trial, officially proclaimed open, was in reality conducted behind closed doors. It is completely understandable that this situation has created an atmosphere of scepticism, alarm, and misgiving.

The long articles that appeared after the trial in *Izvestija* and *Komsomol'skaja pravda* have served only to strengthen this feeling of disquiet. The intransigeant, yet at the same time strangely nervous tone of the newspaper articles; the as it were psychological attack on the credulous reader on the one hand, and, on the other, the nebulosity of the argumentation together with a clear lack of precise facts; the weight of the accusations and their diffuse vagueness; the trial formally open yet actually closed – all this combines to create an extremely unfavourable impression.

It seems very likely that the press simply did not possess a sufficient quantity of facts (concrete, clear, indisputable facts). It also seems most probable that this trial, which meted out such cruel sentences to two of the four defendants, took place in serious violation of the standards of Soviet court procedure.

All of this disturbs and alarms us.

All of this creates an understandable feeling of concern among

142

than anything, and along with them, of course, the brainless brutes.

I personally wish you all the best in the hard but noble task you have undertaken. History will not forget you! I have also heard about Petr Jakir and his comrades, and about what some writers and poets [48] have been doing. I want to say to you: and you, bright moon, light them the way from above! [49]

I think that writers and poets, as men of a free profession, can see better than anyone our positive sides and our dark sides, and therefore it is criminal to smother their voices. No one who does this can be accounted a worthy citizen of our country. No one who criticizes

our friends abroad, and at the same time affords our ideological opponents one more occasion for casting our social morality and our democracy in an unfavourable light.

Several other 'open' trials of a political nature have taken place within a relatively short space of time and under similar circumstances, rousing somber associations. For we have not and will never forget the scandalous trials of the 1930s, which, as is known, were also 'open'; which, as we now know, were presented to the public tendentiously and in bad faith; and which even pretended to find their justification in the theory of the 'sharpening class struggle'.

Are we now really forced, after having celebrated the fiftieth anniversary of Soviet power, to witness the galvanisation of the hypocritical methods of the past?

We demand a new legal investigation, unconditionally open, severely objective, with complete observance of Soviet law.

We make this demand in the interest of truth and legality, for the prestige of our socialist state, in the name of justice and humanity.

[49] Garbled quotation from a poem (На Майдані, 1919) by Pavlo Tyčina (born 1891): та світи ж ти ім дорогу, / ясен місяць угорі!

Извиняюсь за нескладность и расплывчатость мыслей. Нет времени изложить все более обстоятельно. Но надеюсь, что Вы и так меня поймете и не осудите?

С уважением Ваш незнакомый друг

[Волгоград, 25.2.68; подпись]

52

Восхищаюсь Вами, поддерживаю Вас, Павел Михайлович, продолжайте начатое, поможем, желаю успеха!

[Москва, 6.3.68; подпись]

53

Многоуважаемый Павел Михайлович!

Поздравляю женщин Вашей семьи![50] А Вам желаю успеха в Вашей деятельности в пользу насто-

---

[50] This letter was sent on the eve of *International Woman's Day*.

144

openly can be an enemy of his country.

Those who, on the excuse of fighting against anti-Sovietism, suppress the voice of truth do irreparable harm to our country, for they kill the creative force.

Apologies for the incoherence and diffuseness of my ideas. I've no time to set them out more thoroughly. But I hope you will understand me even so, and not blame me.

From your unknown friend

[Volgograd, 25.2.68; signed]

52

I admire you and support you, Pavel Michajlovič, continue what you have begun, we will help you, I wish you all success.

[Moscow, 6.3.68; signed]

53

Dear Pavel Michajlovič!

I send my good wishes to the women [50] of your family and wish you success in your activity on behalf of

ящей советской демократии и ленинской законности. Вы хороший человек!

Будьте здоровы Н.Н.

[Москва, 7.3.68]

54

Дорогой товарищ Литвинов!

Мы поддерживаем Ваше обращение-протест, на-
правленный против грубого нарушения социалистической законности на процессе Александра Гинзбурга, (Владимира) Галанскова, Веры Лашковой,
Добровольского.

Странно, что такой громкий процесс ('антисоветчики', 'агенты НТС' и т. д.) был проведен при закрытых дверях. Почему не передавался по радио,
телевидению? Где выступления обвиняемых, защиты? Ничего не было опубликовано. Только несколько газетных статеек, полных оскорблений и
грязных эпитетов в адрес обвиняемых. В наше
время такой скудной информации явно недоста-
точно. Манера изложения должна быть более сдер-
жанной, ничем не напоминая грубую ругань, про-
клятия сталинской печати. Да и сами по себе газеты
должны иметь свое 'лицо'. Не быть похожими одна
на другую. Невозможно установить истинность
сообщений. Везде одно и то же, одним и тем же
тоном.

Все это приводит к критическому отношению к
материалам нашей прессы, радио и телевидения.

146

real Soviet democracy and Leninist legality. You are a good man!

All good wishes, N.N.

[Moscow, 7.3.68]

54

Dear Comrade Litvinov!

We support your appeal and protest directed against the crude violation of socialist legality in the trial of Alexander Ginzburg, (Vladimir) Galanskov, Vera Laškova, and Dobrovol'skij.

How strange that such an important trial ('enemies of the Soviet people', 'agents of the N.T.S.,' and so on) should be held *in camera*. Why wasn't it broadcast on radio and TV, with all the speeches of the accused and the defence counsel? Nothing was published. Only a few short newspaper pieces, full of insults and dirty epithets for the accused. In the times we live in such meagre information is absolutely inadequate. The way of presenting things should be more restrained, in no way recalling the foul abuse indulged in by the press of Stalin's day. The newspapers themselves should have their own distinct 'personalities', too, and not be all the same. It is impossible to establish the truth of what is reported. Everywhere you read the same thing, written in the same style.

All this obliges us to take up a critical attitude to the material that appears in our press and on our radio and TV. On the basis of the above, we call for the re-hearing of

Исходя из вышеизложенного, мы настаиваем на пересмотре 'дел' Синявского и Даниэля, Павла Буковского, Александра Гинзбурга – Владимира Галанскова, нового судебного разбора с соблюдением всех прав человека, гарантированных обвиняемым советской конституцией, самого широкого освещения процесса в печати, по радио и телевидению. Желаем лично убедиться: виновны эти люди или нет. Убедиться, кто виновен в нарушении социалистической законности.

'Не хлебом единым жив человек' (Дудинцев).[51]

Просим присоединить наше письмо к обращению П. Литвинова и Ларисы Богораз–Даниэль.

До свидания, всего Вам доброго!

[...], 1905 г. рожд., пенсионер
[...], 1930 г. рожд., токарь
[...], 1940 г. рожд., водитель малой механ[ики]

[Одесса, 10.3.68; подписи, адрес]

55

Добрый день, Павел Михайлович!

С большим вниманием я со своими друзьями слежу за Вашей защитой Буковского, Галанскова и др. На суде эти ребята пытались доказать, что в своей

[51] Cf. Matthew 4:4, Luke 4:4, Deuteronomy 8:3. In 1956

the 'cases' of Sinjavskij and Daniel', Pavel Bukovskij, Alexander Ginzburg and Vladimir Galanskov, a fresh judicial investigation with all the human rights observed by the Soviet Constitution, and the widest publicity for the case in the press and on radio and TV. We want to convince ourselves as to whether these people are guilty or not, and as to who is responsible for violating socialist legality.

'Man does not live by bread alone' (Dudincev).[51]

We ask you to join our letter to the appeal in the name of P. Litvinov and Larisa Bogoraz-Daniel'.

Goodbye, all good wishes!

[...], born 1905, pensioner
[...], born 1930, turner
[...], born 1940, driver

[Odessa, 10.3.68; signatures, address]

55

Good day, Pavel Michajlovič!

My friends and I have followed closely your defence of Bukovskij, Galanskov, and others. At their trials these lads tried to show that in what they did they had not

Vladimir Dudincev published a novel called Не хлебом единым (Not by Bread Alone).

149

деятельности они не выходили за рамки конституции. Но дело в том, что в тот момент в суде были две конституции – одна за судейским столом, а другая на скамье подсудимых. За судейским столом сидела сталинская конституция – конституция, которая никогда не защитила от любого произвола ни одну из миллионов жертв, пытающихся найти у нее защиту.

А вместе с подсудимыми судили конституцию будущего, которую уже сегодня боятся последователи Ягоды, Ежова и Берии.[52] Она заставит уважать их каждую букву своих законов. Среди нас пока этой конституции нет, она в лагерях вместе с теми, кто осужден за право ее существования.

Та действительность, которая сегодня окружает нас, не может считатся социализмом в том смысле, как его понимали создатели 'Коммунистического манифеста', что социализм это не в последнюю очередь духовная свобода и уверенность человека в праве на свободную критику. Борьбой за социализм сегодня и является борьба с узурпаторами власти и дезинформаторами общественного мнения, независмо от того, к какой партии они принадлежат.

Два слова о себе. Инженер-конструктор, 34 года. Несколько лет назад имел честь кончить философский факультет вечернего университета марксизма-ленинизма.

Буду рад, если дадите о себе знать.

[Москва, 13.3.68; подпись, адрес]   С уважением

150

gone outside the limits set by the Constitution. The trouble was, though, that at that moment in the court there were two Constitutions – one on the judge's bench, the other in the dock. On the bench sat Stalin's Constitution, which never protected from arbitrariness any of the millions of victims who tried to find protection in it.

Along with the accused they were judging the future Constitution, which is feared already today by the successors of Jagoda, Ežov, and Berija.[52] It will oblige them to respect every letter of our laws. This Constitution is not here among us yet, it is in the camps along with those who have been condemned for asserting its right to exist.

The reality that surrounds us today cannot be regarded as socialism in the sense that was meant by the authors of the *Communist Manifesto*, that socialism is, in the first place, spiritual freedom and man's confidence in the right of free criticism. The fight for socialism today is a fight against usurpers of power and misinformers of public opinion, regardless of what party they belong to.

Something about myself. I am a building engineer, 34 years old. A few years ago I had the honour of graduating in philosophy at an evening university of Marxism-Leninism.

I should be glad to hear from you.

Yours,

[Moscow, 13.3.68; signature, address]

[52] See note 2.

56

Уважаемый Павел Михайлович!

Сегодня я предпринял вторую и пока последнюю попытку встретиться с Вами. Вечером я возвращаюсь домой в Ленинград. К сожалению, личная встреча с Вами – единственный возможный вид связи, поскольку письма, адресованные Вам, по всей вероятности, подвергаются цензуре и задерживаются, если их содержание вызывает неудовольствие цензоров. Я отправил Вам из Ленинграда два письма. Первое от 16.1.68 было 'потеряно', в отношении второго от 16.2.68 ответа пока нет, но думаю, что его постигла та же участь. В этих письмах я выражал Вам свое одобрение и солидарность. Вы в какой-то мере искупили позор, который обрушили на нашу страну люди, одержимые желанием во что бы то ни стало и любыми средствами мстить инакомыслящим. В этом убеждают методы проведения суда над Галансковым, Гинзбургом, Добровольским и Лашковой. Информация, появившаяся в печати, настолько тенденциозна и неубедительна, что нельзя понять, какие именно обвинения были им предъявлены. Целью моего посещения было получение достоверной информации о процессе и об осужденных и, конечно, выражение одобрения и благодарности, которую испытываем к Вам я и мои товарищи-ленинградцы. Наш долг – оказать Вам поддержку в том тяжелом положении, в ко-

56

Dear Pavel Michajlovič!

Today I made my second and for the time being last attempt to meet you. This evening I am returning home to Leningrad. Unfortunately, a personal meeting with you is the only way possible of making contact, since letters addressed to you are probably censored and held back if what is in them displeases the censors. I sent you two letters from Leningrad. The first, dated 16.1.68, was 'lost', and to the second, dated 16.2.68, I have had no answer yet, and I think it has suffered the same fate. In these letters I expressed my agreement and solidarity with you. You have to some degree expiated the disgrace brought on our country by people who are obsessed with the desire to take revenge at all costs and by any means on all dissidents, as was shown by the conduct of the trial of Galanskov, Ginzburg, Dobrovol'skij, and Laškova. The information published in our press is so tendentious and unconvincing that one can't even make out what the charges were. The purpose of my visit was to get reliable information about the trial and the condemned men, and also, of course, to convey the approval and thanks which both I and my fellow-Leningraders feel for you. Our duty is to give you support in the difficult situation in which you have put yourself by your honourable and uncomprising stand.

Yours,

[...], engineer, born 1937

торое Вы себя поставили своей честной и беском-
промиссной позицией.

С уважением
[...], инженер, 1937 г. рождения

[Ленинград, 15.3.68; подпись, адрес]

57

Не говори: 'Забыл он осторожность,
Он сам судьбы своей виной'...
Не хуже нас он видит невозможность
Служить добру, не жертвуя собой.
. . . .
Его еще покамест не распяли,
Но час придет: он будет на кресте.
Его послал Бог гнева и печали
Царям земли напомнить о Христе.[53]

Некрасов, На казнь Чернышевского.

Глубокоуважаемый Павел Михайлович!

Среди откликов на Ваши выступления в защиту
друзей Ваших я что-то не слышал ни одного имени
служителя Церкви. Позвольте мне присоединиться
в искреннейшем сочувствии к Вашему горю. Увы,
это не поздно, ибо друзья Ваши продолжают без-

[53] First and last stanza of a sixteen-line, nameless poem, written
in 1874 by Nikolaj Nekrasov.

154

57

Don't say: 'He forgot to be prudent,
He himself is to be blamed for his fate'...
He sees no less clearly than we that one
                           cannot
Serve the cause of good without
                      sacrificing oneself.
. . . .
For the present they haven't crucified him,
But the time will come, he will be put
                      on the cross.
He was sent by the God of wrath and sorrow
To remind the kings of this world
                      about Christ.[53]

          Nekrasov,
          On the Punishment of Černyševskij

Dear Pavel Michajlovič!

Among those who have reacted to your initiative in
defence of your friends, I have not so far noticed the

155

винно страдать. Но вместе с этой печалью я испытываю от Ваших выступлений духовный подъем. Слава Вам! Мечтаю лично позпакомиться с Вами. Слышал, будто Вы – атеист. Это отнюдь не помешает моему восхищению. В новейших направлениях христианской мысли мы выходим к идее Церкви как мистического Тела Христова, состоящего из клеток людей доброй воли и действия, *независимо* от их поверхостных рассудочных так называемых 'убеждений'. Подобно тому, как здоровая клетка живого тела может не знать ничего о главе тела, о целом теле, – подобно этому человек доброй воли может быть 'неверующим', не знать и не думать ничего о Христе, о Боге – и принадлежать к Церкви Христовой. Сегодня в России очень многие называют себя атеистами только по недостатку образования. О Вас этого не скажешь, но я догадываюсь, что и у Вас это связано с условностями и случайностями. Не намереваюсь здесь проповедовать Вам Христианство, но чрезвычайно рад написать Вам, что Вы сами – живое доказательство правды Христианства. Слыша о Ваших выступлениях, я думаю, каждый христианин с глубоким волнением ощутит присутствие и действие в человечестве Духа Христова. Спешу перейти на общий с Вами язык: если везде, где я произношу святейшее для меня имя '*Христос*' – если везде там Вы подставите святейший для Вас принцип духовной *Красоты*, – этого будет достаточно для нашего практического единства. Ибо Любовь, Свобода, Правда, Бесстрашие,

name of a single minister of the Church. Permit me to associate myself in sincere sympathy with your grief. Alas, it's not too late, for your friends are still suffering, guiltlessly. But together with this grief I have experienced spiritual benefit from your action. All glory to you! I dream of meeting you personally.

I have heard that you are an atheist. This does not affect my admiration for you at all. In the latest developments of Christian thought we have arrived at the idea of the Church as the mystical body of Christ, made up of cells, namely, people of goodwill and good deeds, *regardless* of their superficial, rational, so-called 'convictions'. Just as a healthy cell in a living body may know nothing about the head of the body or about the body as a whole, so a man of goodwill may be a 'non-believer', knowing and thinking nothing about Christ or God, and yet belonging to the Christian Church. Today in Russia very many people call themselves atheists merely out of lack of education. This is not true of you, but I surmise that with you too your atheism is a matter of convention and accident. I don't intend here to preach Christianity to you, but I am very glad to say to you that you are a living proof of the truth of Christianity. When we hear about what you have done, I think that every Christian feels with deep emotion the presence and action among mankind of the spirit of Christ. I hasten to find a common language with you: if everywhere that I utter the name, sacred to me, of *Christ*, you substitute the principle, sacred to you, of spiritual *Beauty*, that will suffice for

157

Верность – всё это Имена нашего Господа, Которого Вы, не зная, чтите, Которого так великолепно проповедали в Ваших благородных мужественных выступлениях.

Но бедные друзья Ваши продолжают страдать. Спасибо, конечно, за поддержку Стравинскому[54] и другим – но этого оказалось слишком мало. Не нашлось у людей доброй воли собрать не десять, а десять тысяч, сто тысяч, миллион подписей в защиту Христа, страдающего в лице Ваших друзей. *'В темнице был, и вы не посетили меня'.*[55] Особенно печально, что слова эти в данном случае обращены к христианам всего мира, которые остались так страшно безучастны к судьбе Ваших друзей.

Говоря так, я прошу не относить этого упрека к русской церковной организации. Хочу воспользоваться этим горестным случаем, чтобы вообще 'оправдаться' именно перед Вами, ибо Вы представляете в некотором смысле совесть русской интеллигенции. Вы знаете, что основной контингент верующих у нас состоит по преимуществу из женщин, по преимуществу пожилого возраста, по преимуществу малообразованных. Ничего они о Вашем деле не слышали. Что касается духовенства, то уже с незапамятных времен в нашей истории его социальная деятельность была парализована. А сегодня русская церковная организация находится в неописуемо сложных условиях, каких не было еще никог-

[54] See document no. 25.

our unity in practice. For Love, Freedom, Truth, Fearlessness, Loyalty – all these are Names of our Lord, Whom you honour without knowing, and Whom you preach so splendidly through your noble and courageous appeals.

But your poor friends are still suffering. One is grateful, of course, for the support given by Stravinsky[54] and the others, but this is too little. Men of goodwill could not manage to collect not tens, but tens of thousands, hundreds of thousands, millions of signatures in defence of Christ, who is suffering in the persons of your friends. *'I was in prison and you visited me not'.*[55] It is especially sad that these words apply to the Christians of the whole world, who have remained so terribly indifferent to the fate of your friends.

In saying this I do not want to reproach in any way the Russian Church organization. Indeed, I want to make use of this sad case in order to 'justify' it to you, since you represent in a sense the conscience of Russia's intelligentsia. You know that the bulk of the faithful in our country are women, mostly getting on in years, and mostly not well educated. They have heard nothing about what you have done. As regards the clergy, from time immemorial in our history its social activity has been paralysed. And today the Russian Church organization finds itself in indescribably complicated circumstances, without precedent in human history. You know that from time to time our Patriarch signs

[55] Matthew 25:43.

да в истории человечества. Вы знаете, что время от времени наш Патриарх подписывает документы о том, что Русская Церковь пользуется полнейшей свободой. Неразумно было бы относиться к этому всерьез и просто непорядочно было бы обличать нас за это – ибо *мы не можем публично объясниться*... Ограничусь аналогией, которая в общем довольно верно передаст суть дела. Руководитель профессиональной организации музыкантов может подписывать любые документы, но это не повлияет на сущность высокой Музыки, которую мы благодаря этому можем слушать, которая представляет собой независимую духовную ценность. Поговорите с простыми верующими, с христианами Вашего круга – Вы услышите, что храм и всё, что там совершается, есть для них святыня, которая помогает им духовно *жить*... При любых личных оценках наших руководителей должно признать, что они не могут рисковать возможностью совершать легальное церковное 'богослужение'. Пишу это слова в кавычках, ибо истинное служение Богу совершается в жизни.

Насколько я понимаю, у Вас это служение связано теперь с трудной судьбою свободы. У Достоевского в тетради есть запись: 'Социализм – это отчаяние устроить человека на земле, они устраивают ему деспотизм и говорят, что это самая-то и есть свобода'...[56] Социалистическое общество должно на

---

[56] Not quite correctly quoted from p. 62 of Dostoevskij's third *Crime and Punishment* notebook: Социализм – это отчаяние

160

statements to the effect that the Russian Church enjoys complete freedom. It would be foolish to take this seriously and quite unfair to blame us because we *cannot publicly explain ourselves...* Let me confine myself to an analogy which will convey the essence of the matter well enough. The leader of the musicians' union can sign any statement at all without this affecting the essential nature of the lofty Music which we are able to hear thanks to him, because it is an independent spiritual value. Speak with ordinary believers, with Christians whom you know, and you will hear that the church and all it contains is something sacred which helps them to *live* spiritually... In any personal estimations of our leaders, one has to take into account the fact that they cannot jeopardize the possibility of legally carrying on the church 'services'. I put these words in quotation marks because the true service of God is accomplished in life.

So far as I understand, this service is linked for you at present with the hard fate of freedom. Dostoevskij wrote in one of his notebooks: 'Socialism is a desperate way of arranging man's life on earth; they set up a despotism over him and say that this constitutes freedom'[56]... Socialist society must show in practice that these words are a slander on socialism, it must find a viable way of combining organizational order with creative freedom. This, together with the maintenance of peace, is the central problem of our time. It is clear that lack of

когда-нибудь устроить человека, они устраивают его деспотизм и говорят, что это самая-то и есть свобода! (*Из архива*

Continuation on page 162

деле доказать, что это – клевета, должно найти жизнеспособное сочетание организованного порядка и творческой свободы. Вместе с заботами о сохранении мира это центральная проблема нашего времени. Ясно, что отсутствие свободы – это смерть всякого творчества во всех областях жизни. Но столь же ясно, что свободы без других принципов Христианства обернулась бы анархией и хулиганством… Воистину, *'без Меня не можете творить ничего'*.[57]

По-видимому, первым шагом на пути к упорядоченной свободе должно бы стать возвращение словам принадлежащего им смысла, исполнение уже написанных законов. В этом отношении друзья Ваши страдают за всех нас – за всех, кто любит правду. *Да поможет им Бог*. Позвольте надеяться, что Вы не ослабите Ваших усилий. *'Стучите – и откроется вам'*.[58]

С уважением св[ященник] […]

[Псков, 30.3.68; подпись, адрес]

58

Уважаемый Павел Михайлович!

Благодарю вас за ваше письмо.[59] Извините, что отвечаю на него с большим опозданием. Так уж

Ф. М. Достоевского. *Преступление и наказание*. Неизданные материалы. Подготовил к печати И. И. Гливенко. Москва-Ленинград 1931, стр. 173.)

162

freedom is the death of any creativity in all spheres of life. But it is also clear that freedom without the other principles of Christianity amounts merely to anarchy and hooliganism... In truth, *without Me you can do nothing.*[57]

Obviously, the first step on the road to orderly freedom must be the restoration to words of their real meanings, the putting into effect of laws already on record. In this sense your friends are suffering for all of us, for all who love truth. *May God come to their aid.* Allow me to hope that you will not slacken your efforts. *'Knock and it shall be opened unto you.'*[58]

Yours

[...], priest

[Pskov, 30.3.68; signature, address]

58

Dear Pavel Michajlovič!

Thank you for your letter.[59] Apologies for the delay in replying. It just happened like this. I wanted to write

[57] John 15:5.
[58] Matthew 7:7.
[59] In answer to document no. 16.

получилось. Хотел написать подробное письмо, да пока не смог изучить всю имеющуюся у меня информацию по делу А. Гинзбурга и др.

Особой надобности в материалах, о которых я просил вас, у меня не было. Я имел возможность бегло ознакомиться с их содержанием. Я просто хотел убедиться в их подлинности и проанализировать изложенные в этих материалах факты и доводы.

О процессе 4-х я информирован довольно хорошо. Но, признаться, мне далеко не все ясно. Не ясно, например, почему, обвиняя Гинзбурга и Галанскова в связях с НТС, в сотрудничестве с этой антисоветской организацией, в распространении полученной от НТС антисоветской литературы, эту 'платную агентуру НТС' не судили как изменников Родины по статье 64 УК РСФСР.[60]

Если информация по этому делу, помещенная в 'Известиях' и данная советскими авторитетными источниками корреспонденту газеты английской

---

[60] Article 64a of the Criminal Code of the RSFSR reads: Измена Родине, то есть деяние, умышленно совершенное гражданином СССР в ущерб государственной независимости, территориальной неприкосновенности или военной мощи СССР: переход на сторону врага, шпионаж, выдача государственной или военной тайны иностранному государству, бегство за границу или отказ возвратиться из-за границы в СССР, оказание иностранному государству помощи в проведении враждебной деятельности против СССР, а равно заговор с целью захвата власти наказывается лишением свободы на срок от десяти до пятнадцати лет с конфискацией имущества и со ссылкой на срок от двух до пяти лет или без ссылки или

164

a detailed letter, but didn't have time to study all the information I have on the case of A. Ginzburg and others.

I had no special need for the material I asked you about. I was able to make a rapid check on what it contains. I just wanted to convince myself that it was genuine, and to analyse the facts and arguments contained in it.

I am fairly well informed about the facts of the trial of the four, but I must admit I am far from clear about it. What is unclear, for instance, is why, when they had accused Ginzburg and Galanskov of having links with the N.T.S., and of collaboration with this anti-Soviet organization in disseminating anti Soviet writings obtained from the N.T.S., they did not charge these 'paid agents of the N.T.S.' as traitors to the motherland under Article 64 of the Criminal Code of the RSFSR.[60] If the information on this case given in *Izvestija* and that obtained from authoritative Soviet sources by the correspondent of the British Communist Party paper

смертной казнью с конфискацией имущества. (Treason, that is, an act intentionally committed by a citizen of the USSR to the detriment of the state independence, the territorial inviolability, or the military might of the USSR: going over to the side of the enemy, espionage, transmission of a state or military secret to a foreign state, flight abroad or refusal to return from abroad to the USSR, rendering aid to a foreign state in carrying on hostile activity against the USSR, or a conspiracy for the purpose of seizing power, shall be punished by deprivation of freedom for a term of ten to fifteen years with confiscation of property with or without additional exile for a term of two to five years, or by death with confiscation of property.)

компартии 'Морнинг стар' Питеру Темписту[61], соответствует действительности, то, согласно принятому толкованию советских законов, действия обвиняемых в таких преступлениях должны были квалифицироваться как изменнические. А поскольку их нашли виновными лишь по статье 70 УК РСФСР[62], значит:

1. Либо органы юстиции решили отказаться от такой квалификации действий обвиняемых по политическим мотивам (процесс получил широкую огласку во всем мире, и нельзя было сурово карать подсудимых, чтобы не вызвать глубокого возмущения западной общественности в юбилейный год советской власти).

2. Либо вышеуказанные обвинения не были юридически доказаны. Тогда авторы статьи 'Из зала суда' в 'Известиях' N° 12 от 16 января 1968 г. не имели права их утверждать, и этих авторов можно привлечь к уголовной ответственности за клевету.

---

[61] 'Evidence against the accused was given in court by the Venezuelan citizen of Russian extraction, Nikolai Brooks-Sokolov, recently arrested here by Soviet security organs as an emmissary of the anti-Soviet emigre organisation, N.T.S., I was told.
He had told the court that an N.T.S. organiser in France, by the name of Slavinsky, had told him Ginsburg was a member of a secret N.T.S. cell' (Peter Tempest in *Morning Star*, Saturday, January 13, 1968, p. 5).
[62] Article 70-1 of the Criminal Code of the RSFSR reads: Агитация или пропаганда, проводимая в целях подрыва или ослабления Советской власти либо совершения отдельных особо опасных государственных преступлений, распространение в тех же целях клеветнических измышлений, порочащих со-

Morning Star, Peter Tempest[61], is correct, then, according to the accepted interpretation of Soviet laws, the actions of the persons accused of such offences should be described as treasonable. If they were found guilty only under Article 70 of the RSFSR Criminal Code[62], that means:

1. Either that the organs of justice had decided to refrain from describing the actions of the accused as treasonable, from political motives (the trial attracted lot of attention throughout the world, and the accused could not be punished severely, in order not to cause profound indignation among the Western public on the anniversary of Soviet power).

2. Or that the charges mentioned were not legally proved. In that case the writers of the article 'From the Courtroom' in *Izvestija* No. 12 of 16 January 1968 had no right to affirm them, and these writers should themselves be charged with slander.

3. Or else that the accused did have a link with the

ветский государственный и общественный строй, а равно распространение либо изготовление или хранение в тех же целях литературы такого же содержания наказывается лишением свободы на срок от шести месяцев до семи лет и со ссылкой на срок от двух до пяти лет. (Agitation or propaganda carried on for the purpose of subverting or weakening Soviet authority or of committing particular, especially dangerous crimes against the state, or circulating for the same purpose slanderous fabrications which defame the Soviet state and social system, or circulating or preparing or keeping, for the same purpose, literature of such content, shall be punished by deprivation of freedom for a term of six months to seven years, with or without additional exile for a term of two to five years.)

167

3. Либо у обвиняемых была связь с 'НТС' или через агентов 'НТС' с зарубежными издательствами, но она не носила откровенно антисоветского характера, и они не стали агентами 'НТС', а использовали эту связь в своих интересах. Тогда у органов юстиции не было оснований обвинить их в измене Родине. И опять-таки тогда есть основание обвинить авторов статьи 'Из зала суда' в клевете и оскорблении за выражение 'платная агентура "НТС"'. Вот такие мысли приходят в голову при анализе имеющейся у меня информации об этом процессе. Интересно было бы обсудить с вами детали этого процесса, но в ближайшее время мне вряд ли удастся побывать в Москве. Вот если бы у вас был телефон, мы могли бы в любой день связаться и переговорить. Это было бы равносильно короткой встрече. Правда, если бюрократы захотят, они могут помешать и телефонному разговору, как это было 19 февраля во время телефонного разговора между мной и Петром Ионовичем Якиром. Когда я первый раз в тот день позвонил ему с своего телефона, пользуясь автоматической телефонной связью с Москвой, к телефону подошла его дочь, и мы беспрепятственно переговорили с ней в течение двух минут. Связь при этом была отличная. Она сказала, чтобы я позвонил через час. Но когда я позвонил следующий раз, и к телефону подошел сам П.И., начались помехи. Во-первых, был там небольшой фон прерывистых гудков, а затем то и дело слышимость падала до порога слыши-

168

N.T.S., or through N.T.S. agents with foreign publishers, but this link was not of a directly anti-Soviet nature and they were not themselves agents of the N.T.S. but were merely using this link for their own purposes. In that case the organs of justice had no grounds for charging them with treason. And again there are grounds for accusing the writers of the article 'From the Courtroom' with slander and defamation by using the expression 'paid agents of the N.T.S.'.

These are the ideas that come to my mind on analysing the information I possess about this trial. It would be interesting to discuss the details of this trial with you, but I am hardly likely to be able to get to Moscow in the near future. If you had a telephone, we could ring each other any day and talk about the matter. That would be as useful as a brief meeting. Of course, if the bureaucrats wish, they can prevent a telephone conversation too, as happened on 19 February when I was talking on the phone with Petr Ionovič Jakir. The first time that day that I rang him on my phone, using the automatic telephone connexion with Moscow, his daughter came to the phone and I talked to her without interference for two minutes. The connexion was perfect. She told me to ring back in an hour's time. But when I rang again, and P. I. himself came to the phone, difficulties began. First there was a slight background of intermittent whistling sounds, and then from time to time the level of audibility fell to the very minimum, as though somebody was inserting a resistance on the line.

мости, как если бы в линию то и дело включали сопротивление.

Из разговора с П.И. я узнал, что у вас домашнего телефона нет. Отчасти это даже лучше, особенно при условии, если бюрократы, как хотят, используют телефон в своих целях.

На всякий случай дам вам номер своего домашнего телефона: Ж-3-03-98. Если захотите о чем-нибудь переговорить со мной, звоните в любой день от 20 до 23 часов.

Если сможете, сообщите мне, пожалуйста, о результатах вашей тяжбы с администрацией института, в котором вы работали.[63]

Пишу вам опять с уведомлением, потому что мне известно, что до вас даже телеграммы иногда не доходят.

Таков был текст моего заказного письма, посланного вам, Павел Михайлович, 21 февраля с заказным уведомлением о вручении. Заказного уведомления о вручении вам этого письма, как вы, надеюсь, уже знаете, я не получил. От П.И. я узнал, что вы не получили указанное выше письмо. Тогда я решил подать жалобу Начальнику Ленпочтамта, на котором я производил отправку данного заказного письма, что и сделал 21 марта. В этой жалобе я указал: 'Есть основания полагать, что данное письмо было похищено сотрудниками КГБ, т.к. П. Литвинов последнее время находился у них под особым надзором и ему не доставили даже телеграмму 15-ти видных представителей английской и

170

From my talk with P.I. I learnt that you have no telephone at your home. To some extent that's just as well, especially if the bureaucrats were to make use of the phone for their own purposes, as they would like to do.

In any case, here is the number of my telephone at home: Ž-3-03-98. If you want to talk to me about anything, ring any day between 8 and 11 p.m.

If possible, please let me know the outcome of your lawsuit against the administration of the institute where you were working.[63]

I am writing to you again by recorded delivery, because I know that even telegrams don't always reach you.

The above was the text of my registered letter sent to you, Pavel Michajlovič, on 21 February, by recorded delivery. As I hope you already know, I did not get notification that you had received the letter, and I learnt from P.I. that you had not received it. I then decided to make a complaint to the head of the Leningrad Post Office, producing my receipt for the letter, which I did on 21 March. In my complaint I said: 'There is reason to suppose that this letter was intercepted by KGB officials, as P. Litvinov has recently been under special surveillance by them and did not even receive a telegram

---

[63] Pavel Litvinov was fired from his job as lecturer at the Moscow Institute of Fine Chemical Technology on January 3, 1968. The institute's regulations specify that two teachers must be present to supervise laboratory classes – a rule often honoured in the breach. Litvinov was charged with having failed to attend such classes.

американской интеллигенции: Б. Рассела, И. Стравинского, Н. Скофилда, И. Менухина и других'. В заключение я выразил свое возмущение тем, что 'работники органов госбезопасности, попирая все существующие законы, творят в работе почты полный произвол'.

Письменного ответа на эту жалобу пока не получил. Работница Ленпочтамта, которая принимала у меня эту жалобу, пыталась напугать меня, сказав, что, возможно, они передадут ее в КГБ. А 18 апреля, когда я справлялся по телефону относительно результатов рассмотрения моей жалобы, мне ответили, что якобы запрашивали Москву, и оттуда им ответили, что данное письмо, мол, в Москву не поступало. Обещали прислать мне возмещение за утерю письма. Но так просто бюрократы из КГБ у меня не отделаются. Я их припру к стенке. Произвольщикам нельзя давать ни малейшего спуску, иначе они обнаглеют.

После 19 февраля еще три раза разговаривал по телефону с П.И.: два раза – вечером, один – утром, в 8 часов. Единственный разговор с ним, происходивший без помех, был короткий утренний разговор. Во время же вечерних разговоров опять в линию включали сопротивление, так что я едва мог разобрать, что он говорит. После каждого такого разговора с помехами я звонил на автоматическую междугородную телефонную станцию и протестовал против создаваемых помех. При этом два раза мне обещали аннулировать мою перфо-

from 15 outstanding representatives of the British and American intelligentsia: B. Russell, I. Stravinsky, P. Scofield, Y. Menuhin, and others.' In conclusion, I expressed my indignation at the fact that 'officials of the security organs, trampling on all established laws, are creating a completely arbitrary situation in the work of the postal service.'

I have so far had no reply in writing to this complaint. The woman official at the Leningrad Post Office who accepted my complaint tried to frighten me, saying that they might hand it over to the KGB. But on 18 April when I rang up to ask what had been done about my complaint, I was told that they had inquired in Moscow and had been given the reply that the letter in question had, forsooth, never reached Moscow. They promised to send me compensation for the loss of the letter. But the bureaucrats of the KGB are not going to get away with it so easily. I'm going to drive them into a corner. It doesn't do to give any quarter to these high-handed fellows, or they become insolent.

Since 19 February I have talked three times more with P.I. over the phone, twice in the evening and once in the morning, at 8 a.m. The only conversation that went without interruptions was the (short) one I had with him in the morning. During the evening conversations a resistance was again put on the line, so that I could hardly make out what he was saying. After each conversation with interference I rang the automatic inter-city exchange and protested about the interference. On two occasions they assured me that they

карту, регистрирующую данные, необходимые для оплаты разговора, а последний раз телефонистка упорно не соглашалась это сделать. Тогда я заявил ей, что мне придется прибегнуть к другим формам протеста. Последнее, по-видимому, подействовало, т.к. еще ни одной квитанции для оплаты разговора я не получил.

24 апреля, наконец, получил бумагу из Ленпочтамта, объясняющую пропажу посланного вам зак. письма № 507. В ней говорится: 'Проведенной проверкой установлено, что зак [азное] письмо № 507 от 21/II.68 утрачено при сортировке и транспортировке корреспонденции.'

В этой формулировке следует только заменить слово 'утрачено' на 'похищено работниками органов госбезопасности' и выбросить слова 'и транспортировке'. Тогда все будет совершенно точно. Но, я вижу, добиться в этом деле определенности можно только с помощью прокуратуры, и то, если она не станет попустительствовать произволу работников КГБ, в чем я очень сомневаюсь.

Если в ближайшее время увидите П.И., сообщите ему, пожалуйста, о получении моего данного письма, т.к. я буду справляться у него о получении вами этого письма.

Читал в 'Лит. газете' статью ее главного редактора А. Чаковского в ответ на письмо ленинградца Г. Новикова. Доводы автора статьи не выдерживают критики. Но об этом как-нибудь следующий раз. Слышал, что Верховный Суд РСФСР оставил в силе

174

would cancel the record of the call so that I wouldn't have to pay for it, but on the last occasion the operator stubbornly refused to do this. Then I told her that I should have to resort to another form of protest. This evidently worked, as I haven't had any telephone bills so far.

On 24 April, at last, I received a note from the Leningrad Post Office explaining the loss of registered letter No. 507, sent to you. It said: 'Inquiries have established that registered letter No. 507 of 21.2.68 was lost during the sorting and transport of mail.'

In this formulation all that needs to be altered is for the word 'lost' to be replaced by 'intercepted by security officials' and the words 'and transport' to be deleted. Then everything will be exactly right. But I see that one can arrive at that degree of definition only with the help of the Public Prosecutor's Office, and then only if the latter does not choose to tolerate the arbitrary conduct of the KGB officials, which I very much doubt.

If you see P.I. in the near future, please tell him if you have received this letter, as I shall ask him about that. I read an article in *Literaturnaja Gazeta* by the editor-in-chief A. Čakovskij, in reply to a letter from a Leningrader, G. Novikov. The arguments of the writer don't stand up to criticism. But more about that next time.

I heard that the Supreme Court of the RSFSR has confirmed the sentence of the Moscow City Court in the case of Ginzburg, Galanskov, and the others, and

приговор Московского городского суда по делу Гинзбурга, Галанскова и др., и что вы были в здании суда во время слушания этого дела. Но в зал заседания вас, конечно, не допустили?[64]

С первомайским приветом и наилучшими пожеланиями.

[…]

П.С. Не удивляйтесь, если получите одно за другим два одинаковых письма. Специально посылаю два одинаковых письма, чтобы утереть бюрократам нос. Они задержали одно письмо, но ничего этим не добились, лишь оттянули время. Его содержание все равно станет вам известным из данного письма. И опять же оба письма пошлю с заказным уведомлением о вручении. Так как письмо напечатано на машинке, каждый лист заверяю собственноручной подписью. На конверте сохраняю те самые марки[65], которые были на похищенном письме. Пока все.

[Ленинград, 26.4.68; подпись, адрес]

[64] On April 13, 1968, the Supreme Court of the RSFSR confirmed the sentences of the Moscow City Court of January 12, 1968. Neither Mr. Litvinov nor the editor of this volume was admitted to the courtroom.

[65] The stamps were a four-kopeck stamp with the portrait of Iona Emmanuilovič Jakir (1896–1937), father of Petr Ionovič Jakir, mentioned in no. 51), and a four-kopeck stamp dedicated

that you were in the courtbuilding when this case was being heard. Surely they didn't let you into the courtroom?[64]

May Day greetings and best wishes.

[...]

P.S. Don't be surprised if you get two identical letters one after the other. I deliberately sent you two identical letters, so as to get the better of the bureaucrats. They held up one letter, but achieved nothing by that except gaining time. What was in that letter will come to your knowledge anyway through this one. As before, I shall send both letters registered, by recorded delivery. Since the letter is in typescript, I will certify each sheet by signing it. On the envelope I will put the same stamps[65] as were on the letter that was intercepted. That's all for now.

[Leningrad, 26.4.68; signature, address]

to the movie *Живые и мертвые* (The Live and the Dead). Jakir, Sr., a famous civil war commander, was executed in June, 1937. His son Petr, arrested at the age of fourteen, spent seventeen years in Soviet concentration camps. He was rehabilitated in 1956 and became a *научный сотрудник* of the Historical Institute of the Academy of Sciences of the USSR. Cf. note 48.

59

Дорогой Павел Михайлович.

То, что Вы сейчас прочтете, я никогда бы не написал, если бы не был глубоко убежден, что Вами и Вашими друзьями движут не низменные побуждения, а искреннее желание служить народу, что вы честные и мужественные люди.

Тем, чем я стал в настоящее время, я обязан матери, научившей меня жить честно, Марксу, открывшему для меня мир, и рабочему классу, поставившему для меня этот мир с головы на ноги.[66] Я очень недавно стал рабочим. Но я стал им сознательно и не раскаиваюсь в этом. Я стал неотъемлемой частью этого класса и потому неотъемлемой частью всего трудового народа. Их мечты стали моими мечтами, их радости – моими радостями, их горести – моими горестями. Я собрал эти маленькие мечты в большую мечту, маленькие радости – в большую радость, маленькие горести – в большое народное горе. И мне открылась простая, мужественная и истосковавшаяся по живому делу душа трудового народа. Не знаю, сумею ли я передать словами хотя бы сотую долю того, что чувствую, окидывая мысленным взором прошедшие полстолетия. Гнев, презрение и тоска раздирают мне душу, слезы льются из глаз. Но я не

[66] This appears to be a somewhat muddled allusion to Friedrich Engels' famous remark (in his *Ludwig Feuerbach und der Ausgang*

59

Dear Pavel Michajlovič.

I whose letter you are now reading would never have written to you if I were not profoundly convinced that you and your friends are moved not by petty motives but by sincere desire to serve the people, that you are honourable and courageous people.

What I am today I owe to my mother, who taught me to live honestly; to Marx, who revealed the world to me; and to the working class, which stood the world the right way up for me.[66] I became a worker very recently. But I became a worker deliberately and I don't regret it. I have become an integral part of this class and therefore of the whole working people. Their dreams have become my dreams, their joys my joys, their sorrows my sorrows. I have merged my little dreams in the great dream, my little joys into the great joy, my little sorrows into the great sorrow of the people. And I have discovered the simple, mighty soul of the working people, which longs for real work. I don't know if I can convey in words even a hundredth part of what I feel when I glance back in my mind over the last half-centuries. Anger, scorn, and anguish tear my heart, tears pour from my eyes. But I am not a-shamed of these tears, there is great happiness in weeping with the tears of the people. Not everyone is

der klassischen deutschen Philosophie) that Marx had put Hegel's dialectic *vom Kopf wieder auf die Füsse*.

стыжусь этих слез – это великое счастье, плакать слезами народа. Это дается не всякому и, может быть, только один раз в жизни. Я получил право говорить от имени людей труда. Мне нелегко далось это право. Но я его заработал. И дай мне бог сохранить его навсегда.

Слушайте же, сейчас я открою Вам самые потаенные уголки души трудового народа, те ее уголки, которые с болью в сердце открывают только самым близким друзьям, да и то лишь тогда, когда молчать мочи нет.

'Свобода, демократия, исконные права человека...' Много на своем веку мы наслышались громких слов. Но вот пришли люди и указали нам путь к свободе. Мы им поверили и пошли за ними. 'Кто был ничем, тот станет всем!'[67] – в жестоких муках рождалась наша желанная свобода. Каждый шаг к ней обагрен нашей кровью. Но весь мир увидел, что мы не рабы, что мы умеем не только жить, но и умирать за свободу.

И мы завоевали эту свободу. Распрямились наши сгорбленные спины. Мы ходили с гордо поднятой головой. 'Мы смело новый мир построим!'[68] – чесались наши могучие натруженные руки, мы горели неудержимой жаждой творчества. Но наши вожди, указавшие нам путь к свободе, не научили нас тому,

---

[67] Last line of the first stanza of the 1902 Russian translation, by Arkadij Koc (1872–1943), of l'Internationale, a poem written in 1871 or 1875 by Eugène Poitier (1816–1887) and set to music in 1888 by Pierre Degeyter (1848–1932). In French the line is

able to do this, and perhaps it happens only once in a lifetime. I have obtained the right to speak in the name of the men and women of labour. This right has not been given me easily – I have earned it. And may God let me keep it forever.

Behold, I now open to you the most secret corners of the heart of the working people, those corners which with sadness we open only to our closest friends, and then only when we cannot remain silent.

'Freedom, democracy, the age-old rights of man ... 'We have heard many big words spoken in our time. But then men came and showed us the road to freedom. We trusted them and followed them. 'He who was nothing shall be everything!'[67] In cruel suffering our wished-for freedom was born. Every step towards it was stained with our blood. But the whole world saw that we are not slaves, that we know not only how to live but also how to die for freedom.

And we have won that freedom. We straightened our bent backs. We walked proudly with our heads high. 'We'll boldly build a new world!'[68] – our strong, toil-worn hands itched, we burned with an irrepressible thirst to create. But our leaders, who showed us the road to freedom, did not teach us how to build this 'new world'. Like a blinded Cyclops we staggered from side to side, understanding nothing, sowing chaos and

Nous ne sommes rien, soyons tout!
[68] This line of the *International* precedes the one quoted in note 67. The original Russian text has Мы наш, мы новый мир построим (Our own, a new world we will build).

как этот 'новый мир' строить. Как ослепленный циклоп, метались мы из стороны в сторону, не понимая, что к чему, сеяли хаос и смятение. В своих неудачах мы обвиняли врагов и, что тут греха таить, загубили немало невинных жизней. Теперь-то мы понимаем, что самым главным врагом была наша свобода. В 29-м мы сели на голодный паек, чтобы хоть как-то спасти положение. Голодные, разутые, раздетые, мы еще и еще раз шли на штурм 'нового мира'. Но лбом стену не прошибешь. Все больше и больше мы убеждались, что бесцельная свобода есть не счастье, а несчастье, что мы стали ее рабами. И мы должны были подавить эту свободу, подавить жгучую жажду творчества. Мы должны были это сделать, чтобы сохранить хоть часть того, за что заплачено кровью. Наши вожди, о, они все время призывали нас к стойкости, мужеству, самопожертвованию – как будто мы в этом нуждались, – твердили нам о подлинной свободе. И дрались между собой. А мы тем временем, голодные и разутые, задыхались под тяжестью этой 'подлинной свободы'. Они нас предали, наши вожди. Их предательство состоит в том, что они не выполнили своего долга, долга вождей – не указали нам путь к цели. Часть из них уже ушла в небытие, за ними последуют остальные – жизнь человеческая не вечна. Память о них сохранится. Но она не будет памятью сердца. Это будет трезвая память разума, беспощадно вскрывающего всю омерзительность предательства.

182

confusion. We blamed our failures on enemies, and, it must be confessed, we ruined many innocent lives. Now we realize that the main enemy was our freedom. In 1929 we went on famine rations in order somehow to save the situation. Hungry, barefoot, ragged, we again and again strove to take the 'new world' by storm. But we couldn't break through the wall with our heads. More and more we became convinced that aimless freedom is not happiness but unhappiness, that we had become its slaves. And we had to suppress this freedom, this burning thirst to create. We had to do this so as to retain at least something of what we had shed our blood for. Our leaders were calling on us, all this time, for endurance, courage, self-sacrifice – as though that was needed — and kept on talking to us about real freedom. They quarrelled among themselves. And in those days, hungry and barefoot, we were suffocating under the weight of this 'real freedom'. Our leaders betrayed us. Their betrayal consists in this, that they have not fulfilled their duty as leaders, they have not shown us the road to our goal. Some of them have already passed into oblivion, the rest will follow them – man is not immortal. Their memory will be preserved. But it will not be the heart's memory. It will be the sober memory of the mind, mercilessly exposing all the sickening reality of betrayal.

We did not forgive them for this. We began to strangle our freedom with the hands of these pompous traitors (and those who did not want to become stranglers we simply crushed, calling them 'enemies of the people').

183

Мы не простили им этого. Мы начали душить нашу свободу руками этих велеречивых предателей (а тех, кто не хотел стать душителем, мы просто раздавили, объявив 'врагами народа'). Не надо винить их за то, что они стали тиранами. Это не их вина. Мы их сделали такими. И это была наша месть за предательство. Мы начали раболепствовать перед ними, восхвалять их и славословить, вызывая к жизни самые низменные и страшные стороны человеческой души. Мы издевались над ними. Но разве могли они понять это! Разве могли они понять, что все наши славословия, всё это юродство было жуткой издевкой над 'марксистами-ленинцами', предавшими свой народ. Чека[2] – этот карающий меч революции, мы превратили в чудовище, перед преступлениями которого бледнеют все ужасы царской охранки. Свобода!! Демократия!! Права человека!! – в своей Конституции мы едко высмеяли всю пустоту этих лживых фраз, противопоставив их жестокой и мрачной действительности.

Свобода?! – мы осознали необходимость тирании и были свободны. Демократия?! – ею стала тирания. Это была наша власть, страшная, отвратительная, но – поймите Вы! – *наша*. Слепой не может идти вперед, но и назад пути не было. Права человека?! – какая ложь! Каждый человек стоял тогда перед выбором: либо указать нам путь, либо покориться тирании. Но были люди, которые, не умея найти дорогу, не склонили своих голов перед

184

There is no need to blame them for becoming tyrants. It wasn't their fault. We made them tyrants. And this was our revenge for their betrayal. We began to crawl before them, exalting and glorifying them, reviving the basest and most fearful aspects of the human spirit. We were mocking them. But they were unable to realize this. They could not grasp that all our glorifying, all this foolery was a sinister mockery of these 'Marxists-Leninists' who had betrayed their people. We transformed the Cheka[2], that punishing sword of the revolution, into a monster beside whose crimes all the atrocities of the Tsarist secret police seem pale. Freedom! Democracy! The rights of man! In our Constitution we jeered at the emptiness of these lying phrases, contrasting them with the cruel and gloomy reality. Freedom?! We had understood the necessity of tyranny and were freed. Democracy?! Tyranny became it. It was our ruling power – frightful, repulsive, but, don't forget this, *ours!* The blind man can't go forward, but there is no way back either. The rights of man?! What a lie! Every man then faced a choice either: to show us the way, or to submit to tyranny. But there were people who though they could not find the road, would not bend their heads before tyranny. And we cut off those proud heads. Through the voice of our government we called them enemies and traitors. We could not act otherwise. Everyone who opposed that government willy-nilly became our enemy. But they were not traitors. They had honest and brave hearts. People like that don't betray. And the people's heart will always

185

тиранами. И мы снесли эти гордые головы. Устами нашей власти мы объявили их врагами и предателями. Мы не могли иначе. Каждый, кто покушался на эту власть, невольно становился и нашим врагом. Но они не стали предателями. У них были честные и мужественные сердца. Такие – не предают. И сердце народа навсегда сохранит о них память, как о людях с гордо поднятой головой.

Так было. Но вот опять пришли люди, снова мы слышим слова о свободе, демократии, правах человека. Снова бередят нам душу этими лживыми, но заманчивыми словами.

Мы вас слышим. Мы верим, что вы честные, искренние и мужественные люди, что в ваших сердцах горит благородное пламя. Мы желаем вам добра, мы не хотим еще раз брать на свою совесть загубленные жизни. И потому послушайте нас.

На своем горьком опыте мы узнали, что такое свобода, демократия, права человека. За эту науку мы заплатили своей кровью, годами юродства и унижений, совестью народной. И мы не можем петь песен 'безумству храбрых'.[69] Храбрые должны иметь разум.

Можете ли вы указать нам путь? Есть ли у вас

[69] In a story called *Песня о соколе* (The song about the falcon) by M. Gor'kij (pseud. of Aleksej Maksimovič Peškov, 1868–1936), a Crimean Tatar recites a song in which a dialogue occurs between a grass-snake and a falcon, and in which the waves of the sea sing a song with the lines 'Безумству храбрых поем мы славу', 'Безумство храбрых – вот мудрость жизни', and 'Безумству

remember them as men with heads proudly held high. That was how it was. But now men have appeared again, once more talking of freedom, democracy, the rights of man. Again they tickle our souls with these false but alluring words.

We listen to you. We believe that you are honest, sincere, and brave people, that a noble flame burns in your hearts. We wish you well, we don't want again to burden our consciences with ruined lives. Therefore listen to us.

From our bitter experience we know about freedom, democracy, the rights of man. We paid with our blood for this knowledge, with years of foolery and humiliation, with the people's conscience. And we cannot sing the songs about 'the madness of the brave'. [69] The brave must keep their heads.

Can you show us the way? Have you ideas that are worthy of the heirs of October? If you have, tell us about them. And we will follow you, not asking for any freedom or rights and sweeping from our path all that hinders us from reaching the goal. But if you have nothing in your soul, go away. We know that this cannot go on for long, our hands reach out for real work. But we don't want to repeat the past, it has been

храбрых поем мы песню' (Of the madness of the brave we sing the fame. The madness of the brave – that's the wisdom of life. Of the madness of the brave we sing a song.) This story is officially considered to belong to the golden treasury of Russian literature, and no Soviet child can go to school without being exposed to its execrable verse.

мысли, достойные наследников Октября? Если есть – выкладывайте. И мы пойдем за вами, не требуя никакой свободы, никаких прав, сметая с пути все, что мешает достижению цели. А если у вас за душой ничего нет – убирайтесь прочь. Мы и сами понимаем, что долго так продолжаться не может, наши руки тянутся к живому делу. Но мы не хотим повторения прошлого – это было бы слишком тяжело. Не травите же нам душу. Перед Вами открылась душа народа, открылось все, что он выстрадал за эти полстолетья. Это бывает не часто. Это бывает только в преддверии великого перелома. Постарайтесь же понять ее.

И еще об одном прошу. Пусть имя пишущего эти строки останется неизвестным. Душа народа не должна иметь имени. Она безымянна.

[Ташкент, 30.4.68: подпись, адрес]

60

Министерству Связи СССР

Мы, нижеподписавшиеся, [..., ..., ...] обращаем Ваше внимание на возмутительное обращение с нашими личными письмами.

Данные проверки показали, что отправленные 10 марта 1968 г. при посредстве п/о № 5 г. Одессы письма:

1) г. Москва, В-261, Ленинский просп., 85, кв. 3,

too hard for us. Don't torment our hearts.

The people's heart has been opened to you, with all that it has suffered in these half-centuries. This doesn't happen often. It happens only on the eve of a great turn. Try to understand this soul.

And let me ask you one thing. Let the name of the writer of these lines remain unknown. The people's heart must not be named, it is nameless.

[Taškent, 30.4.68; signature, address]

60

To the USSR Ministry of Communications.

We, the undersigned, [..., ..., ...], wish to direct your attention to the scandalous way our private letters have been treated.

Checks we have made show that the following letters, posted on 10 March 1968 at No. 5 Post Office, Odessa, have not yet been delivered:

1. To L. I. Bogoraz-Daniel', Flat 3, No. 85, Lenin

Богораз-Даниэль Л. И. (квитанция N° 762, почтовый штемпель 10-36817),

2) г. Москва, К-1, ул. Алексея Толстого, 8, кв. 78, Литвинову Павлу Михайловичу (квитанция N° 763, почтовый штепмель 10-36817) –

до сих пор не вручены.

9 апреля 1968 г. по нашему письменному заявлению начальнику п/о N° 5 г. Одессы в адрес московского главпочтамта отправлен запрос о судьбе писем.

Однако, до сих пор наши письма не вручены, уведомления не получены, ответ на запрос не дан.

Такие действия московских почтовых органов – грубое нарушение элементарных почтовых правил, законов о тайне и свободе переписки граждан.

Требуем вручения наших писем указанным адресатам, нам – уведомлений, привлечения к ответственности лиц, виновных в недопустимой волоките с нашими письмами.

П.С. Приходим к выводу: на добросовестность почтовых организаций надеяться нечего, письма отправлять, как в средние века, с оказией.[70]

[Одесса, 30.4.68; подписи, адрес]

---

[70] A copy of this letter was sent to Mr. Litvinov.

Avenue, Moscow V-261 (receipt No. 762, postmark 10-36817).

2. To Pavel Michajlovič Litvinov, Flat 78, No. 8, Aleksej Tolstoj Street, Moscow K-1 (receipt No. 763, postmark 10-36817).

On 9 April 1968 an inquiry about what had happened to these letters was sent to the Moscow Central Post Office, on our written request to the postmaster of No. 5 Post Office, Odessa.

So far, however, our letters have not arrived, no notification has been received, and no reply has been made to the inquiry.

Such behaviour by the Moscow postal authorities amounts to a flagrant violation of the elementary rules regarding postal communications, and the law on the secrecy and freedom of correspondence between citizens.

We demand that our letters be delivered to the addressees named and that we be notified of this, and also that those who are responsible for the impermissible holding-up of our letters be disciplined.

P.S. We have come to the conclusion that, since it is not possible to rely on the conscientiousness of the postal authorities, we must henceforth send our letters, as in the Middle Ages, by friends who are going that way.[70]

[Odessa, 30.4.68; signatures, address]

61

П. Литвинову

Очень жаль, что я не имею возможности лично беседовать с Вами. Пришлось воспользоваться представившимся случаем и через друга переслать это письмо.

Мне известны Ваши смелые выступления через иностранную прессу. Я полностью Вас поддерживаю, но абсолютно бездействую. Жизнь требует выступлений еще более решительных, чтобы разбудить людей от спячки. Нужна организация всех честных и смелых людей, а если она уже есть, то хочу быть членом ее.

Вижу, как жестоко и бесчеловечно оболванивают русский народ. Споили его и обращаются с ним, как со скотом. Мне довелось исколесить матушку Русь вдоль и поперек и вот к какому выводу я пришел:

Необходимо создать вторую партию, вернее сказать, создать силу, способную защитить все передовое, чтобы не скитались люди по тюрьмам за свои убеждения. Для этого нужны смелые люди. К таким я отношу Вас. Прошу Вас не относиться к моему письму как к провокации. Я хочу действовать, потому и обращаюсь к Вам.

[Архангельск, 1.5.68; подпись, адрес]

192

61

To P. Litvinov.

I much regret that I am not able to meet and talk with you personally. I am taking the opportunity of sending you this letter through the good offices of a friend.

I have heard about your courageous efforts through the foreign press. I fully support you, but I am quite inactive. Life demands still more decisive efforts, so as to awaken people from their slumbers. We need an organization of all honest and courageous people, and if it exists already I should like to join it.

I see how cruelly and inhumanly they are fooling the Russian people. They have debauched their minds and treat them like cattle. I have had the opportunity of travelling all over our dear mother Russia, in every direction, and this is my conclusion.

We must form a second party, or, more correctly, we must create a force capable of defending everything progressive, so that people are not whisked off to prison for their beliefs. To do this we need brave men like you. Please don't regard my letter as that of a provocateur. I want to do something, and that is why I appeal to you.

[Archangel, 1.5.68; signature, address]

62

Уважаемый тов. Литвинов!

Горжусь Вами и очень опечален заключением в сумасшедший дом без суда и медицинского освидетельствования тов. Есенина, ученого математика, сына великого поэта.[71] Всё делается в нарушение Конституции СССР.

Я бывший учитель-физик с сорокалетним педстажем (сейчас пенсионер). Четыре года защищал советскую родину (имею ордена и медали). На фронте потерял все свое здоровье и стал пожизненным инвалидом 2й группы. В войну у меня дом сгорел в Волгограде. Я за него получил шиш, но зато освободили от репарационных платежей немцев, венгров и проч. Те стали друзьями, а я, защитник, стал недругом.

Я даже не заработал и не завоевал себе квартиры. С 1947 года прошу, но всё напрасно. В 1955 году был арестован КГБ за свои мнения, вопреки Конституции СССР, просидел в одиночке около года, судим закрытым судилищем (суд святой инквизиции) облсудом г. Волгограда и был осужден на 10 лет, просидел еще полгода и снова пересудом осужден на 2 года.

Моя сожительница проработала 30 лет, но тоже не заработала квартиры. На последние сбережения и

[71] The poet and mathematician Alexander Esenin-Vol'pin, son of the poet Sergej Esenin (1895–1925), was taken from his home on February 14, 1968, at 10:30 p.m., and confined to a mental

62

Dear Comrade Litvinov!

I am proud of you, and was very sad to learn of the locking up in a lunatic asylum, without trial or medical examination, of Comrade Esenin, the mathematician and son of the great poet.[71] All this has been done in violation of the USSR Constitution.

I was a teacher of physics for forty years and am now a pensioner. I fought for the Soviet motherland for four years and was awarded orders and medals. At the front I lost my health entirely and am now a permanently disabled person (2nd class). During the war my house in Volgograd was burnt down. I got nothing in return, but they let the Germans, Hungarians, and so on off from paying reparations. *They* became our friends while I, who defended the country, became an enemy.

I didn't even earn a flat by working or fighting. Ever since 1947 I've been applying, but in vain. In 1955 I was arrested by the KGB for my opinions, contrary to the Constitution of the USSR, and spent about a year in solitary confinement. After a secret trial, like in the days of the holy Inquisition, before the Volgograd regional court, I was sentenced to ten years, stayed in prison a further six months, and then was sentenced afresh to two years.

institution without due process of law. He was released, after protests from more than a hundred Soviet scholars, on May 12, 1968.

на занятые деньги купила кооперативную квартиру за 2500 руб., а Госстрою эта одна комната стоит 1000 руб. Монополия, что поделаешь! Пожила в ней год, потеряла кухню, в которой жила, и тогда без предупреждения на стоимость ее квартиры начали набавлять. Сперва 309 руб., потом бухгалтер Тищенков в свою пользу набавил 42 руб. (за счет граждан можно обогащаться). Итого, одна комната стала стоить 2851 руб. Не обманешь – не продашь. У нас обманывать гражданина всегда можно. Моя сожительница получает пенсию 30 руб. в месяц и платит за квартиру 20 руб. На 10 руб. живи не тужи, умрешь – не убыток. И никто из официальных органов не сознает, что нам жить очень тяжело, и не дают коммунальную квартиру (сытый голодного не разумеет).

Мне 6 лет назад горисполком г. Волгограда вынес постановление дать квартиру, но обманул и не дал. Обман и надувательство у нас процветает.

Вопреки Конституции СССР, Гражданстрой своим драконовским постановлением о расчете кооперативных квартир по полезной площади, а не по жилой, все тяготы платежей взвалил на пенсионеров, которые за однокомнатную квартиру платят по 150 руб. за кв. м жилой площади, тогда как остальные платят только 100 руб. (Девиз: жми, дави пенсионеров).

В Чехословакии социализм есть свобода, а у нас нарушения Конституции на каждом шагу.

С приветом

The woman I live with worked for 30 years, but she too had not earned the right to a flat. With her last savings and some money she borrowed she bought a one-room co-operative flat for which she had to pay 2,500 roubles, though this one room costs the State Building Authority 1,000 roubles only. It's monopoly, there's nothing you can do about it! She lived there for a year, lost the kitchen she had been living in, and then without any warning they increased the cost of the flat. First it was an extra 309 roubles, then the book-keeper Tiščenkov stuck on another 42 roubles for himself (one can get rich at the public's expense). The result was that her room now cost 2,851 roubles. If you don't swindle, you won't sell [proverb]. Here it is always possible to cheat the public.

She gets 30 roubles a month as pension and pays out 20 roubles for her flat. Live without a care, but if you die, it's no loss [proverb]. And none of the official bodies takes notice that we are living in great hardship and gives us a municipal flat (the full man doesn't understand the hungry).

The Volgograd city executive committee took a decision six years ago to give me a flat, but they cheated me and I didn't get it. Cheating and swindling flourish in our country.

Contrary to the USSR Constitution, the Civic Building Authority, by its draconic decision that the size of co-operative flats is to be calculated on the basis of actual living-space and not on that of floor-space, has put the whole burden of payment on us pensioners,

197

Вам дали работу? Напишите, получили или нет.
Если Вы или Ваши друзья куда поедут, прошу заехать ко мне, если меня не посадят.

[Волгоград, 10.5.68; подпись, адрес]

63

Здравствуйте дорогой товарищ Литвинов!

Мы, учащаяся и студенческая молодежь Москвы восхищены вашим поступком.
Мы полностью солидаризируемся с вами.
Мы верим, что правда восторжествует.
Мы с вами!

Группа советской молодежи

who pay 150 roubles per square metre of floor-space for a one-room flat, whereas others pay only 100 roubles. (Their motto is, squeeze the pensioners).

In Czechoslovakia socialism is freedom, but here it means breaking the Constitution at every step.

Yours

Have they given you a job? Write me if you've got work or not. If you or your friends come this way, please call on me, if I haven't been jailed.

[Volgograd, 10.5.68; signature, address]

63

Greetings, dear Comrade Litvinov!

We schoolchildren and students of Moscow admire your action.
We are in complete solidarity with you.
We are sure that truth will triumph.
We are with you!

A Group of Soviet Youth